FRANÇOISE MALLET-JORIS

LA MAISON DE PAPIER

ÉDITIONS BERNARD GRASSET
61, rue des Saints-Pères
PARIS-VIe

IL A ÉTÉ TIRÉ DE CET OUVRAGE
[illegible]
[illegible]
QUARANTE EXEMPLAIRES [illegible]
NUMÉROTÉS DE 1 A 40
ET QUATORZE HORS-COMMERCE
NUMÉROTÉS DE I A XIV, CONS-
TITUANT L'ÉDITION ORIGINALE

Vincent et moi

Vincent (onze ans). — Tu sais, maman, pour que le monde soit parfait...

Moi. — Oui?

Vincent. — Il faudrait d'abord supprimer les moustiques.

Moi. — Tiens!

Vincent. — Et les vipères, aussi.

Moi. — Pourquoi?

Vincent. — Parce qu'elles font tort aux couleuvres. On les confond, alors quand on voit une couleuvre on dit : Oh! la sale bête! C'est vexant. Tandis que s'il n'y avait *que* des couleuvres, quand on en rencontrerait une on saurait qu'elle ne mord pas, alors on dirait : Oh! le joli serpent, et elle serait contente. Si je pouvais refaire le monde...

Moi. — Tu le trouves mal fait?

Vincent. — Non. Mais je ne suis pas difficile.

Moi. — Qu'est-ce que tu supprimerais encore?

Vincent. — Dans les animaux, pas grand-chose. Par exemple je garderais les lions, les crocodiles...

Moi. — Ah, oui?

Vincent. — Oui. A cause des explorateurs. Ils

n'aimeraient pas que ce soit trop facile, leurs explorations. Ce ne serait plus l'Aventure.

Moi. — Evidemment.

Vincent. — Non, c'est dans les types, tu vois, qu'il faudrait... (geste de faucheur). Ça, oui.

Moi. — Quel genre de types?

Vincent. — Il faudrait les classifier d'abord. Ceux qui font les guerres, les révolutions, et puis les méchants...

Moi. — Ce ne sont pas les mêmes?

Vincent. — Pas forcément. Et puis les voraces...

Moi. — Qu'est-ce que c'est, les voraces?

Vincent. — Ceux qui veulent tout avaler même s'ils n'ont pas vraiment faim. Mais surtout ceux qui font la guerre, tu vois. Dehors et dedans. Je veux dire dans les familles.

Moi. — Tu crois qu'on peut les empêcher tout à fait.

Vincent. — On peut essayer. Il faudrait un œil.

Moi. — Un œil?

Vincent. — Oui. Dans chaque maison, un œil. Quand il verrait qu'on commence à se disputer, l'œil ferait un peu de musique, pour leur dire de s'arrêter.

Moi. — Et s'ils ne s'arrêtaient pas?

Vincent. — Il faudrait un Maître des Yeux, qui serait averti par l'électronique, et il leur enverrait des gendarmes très doux qui les raisonneraient.

Moi. — Tu crois qu'il y en a?

Vincent. — Quoi?

Moi. — Des gendarmes très doux?

Vincent. — Ils seraient entraînés. Scientifiquement.

Moi. — Tu ne crois pas que c'est contraire à la liberté de conscience?

Vincent. — La liberté de se disputer?

Moi. — Oui.

Vincent. — Peut-être. Mais il pourrait quand même y avoir un œil. Bleu.

» Si j'avais assez d'argent pour tout acheter... »

Moi. — Qu'est-ce que tu achèterais?

Vincent. — Tout. Mais je peux faire comme si...

Moi. — Ah! oui?

Vincent. — Oui. Je me dis : je peux tout acheter. Mais je ne suis pas pressé. Alors je n'achète rien. C'est pareil.

Moi. — Presque.

Vincent. — J'aimerais bien aussi assister à la Résurrection.

Moi. — Oui?

Vincent. — J'aimerais poser quelques questions à un certain nombre de types.

Moi. — Qui?

Vincent. — Gérard de Nerval. Je pourrais lui demander ce qu'il a voulu dire au juste dans son poème que tu n'as pas pu m'expliquer : suis-je Amour ou Phébus... Maintenant peut-être qu'il n'aurait pas envie de ressusciter pour qu'on lui pose ce genre de question.

Moi. — Peut-être pas.

Vincent. — Peut-être qu'il aurait envie de ressusciter pour être épicier, pour changer.

» A un homme préhistorique, aussi? Je voudrais lui demander si c'était vraiment magique, les dessins de bisons, tu sais, dans les grottes... Je le ferais apparaître ici et je lui demanderais. Non, peut-être pas ici, parce qu'il aurait peur des autos. Dans une prairie, pour ne pas le dépayser. Et je le ferais interviewer par des hommes habillés avec des peaux de bête, pareils que lui. Par exemple il ne faudrait pas les prendre trop gringalets!

» Je me demande si un homme préhistorique, qui aurait vu le monde de maintenant, tu sais, les autos, la télé, tout ça, il aimerait mieux vivre à notre époque, ou retourner aux cavernes. Les diplodocus et les plésiosaures, c'est pas drôle. Mais les autos, la nuit, le cancer, c'est pas drôle non plus. »

Moi. — Qu'est-ce que tu lui conseillerais?

Vincent. — Finalement, tu vois, je crois que je lui conseillerais les diplodocus. Seulement je lui filerais un paquet d'allumettes, s'il n'avait pas encore découvert le feu, et puis peut-être une flûte.

Moi. — Ça dérangerait l'histoire du monde.

Vincent. — Tu crois?

Moi. — S'il n'a pas encore découvert le feu, et que tu lui donnes des allumettes tu lui fais sauter des années de réflexion, tu comprends. Il vaudrait peut-être mieux le lui laisser découvrir tout seul.

Vincent. — Oui, mais en attendant de l'avoir découvert il aurait froid.

Moi. — Ah! évidemment.

Vincent. — Peut-être qu'il s'en ficherait, de le découvrir lui-même, s'il avait vraiment froid.

Moi. — Peut-être.

Vincent. — Peut-être, je ne veux pas critiquer, remarque, mais peut-être le bon Dieu il aurait pu le lui donner au départ, le feu. La flûte, je ne dis pas, quoique le soir, comme ça, sans électricité, ce serait agréable d'avoir un peu de musique. Mais le feu! Quand tu penses qu'il y a eu des hommes qui ne l'ont *jamais* connu. Tu te rends compte? Ça me fait froid rien que d'y penser.

Moi. — Il y a encore beaucoup d'hommes qui manquent de tout, tu sais.

Vincent. — Oui, mais ils savent que ça existe.

Moi. — Tu crois que c'est une consolation?

Vincent. — Je ne sais pas. Quand même ils auraient pu se dire, les hommes préhistoriques: un jour il y aura le feu...

Moi. — Mais alors ils n'auraient pas eu à l'inventer.

Vincent. — Est-ce qu'on est sur la terre pour inventer?
Moi. — D'une certaine façon.
Vincent. — On en reparlera.

***

Deux petites phrases qui reviennent souvent

Qui est Vincent? Il a quatorze ans maintenant, mais pour moi c'est encore un petit garçon. Mon petit garçon. Mon second fils. L'aîné c'est Daniel, vingt ans cette année. Il y a aussi Alberte, onze ans, et Pauline, neuf ans. Mes enfants.

Le petite phrase que l'on me dit le plus souvent, je crois, c'est celle-ci : « Comment arrivez-vous à écrire? » ou « Je vous admire d'arriver à écrire avec ces quatre enfants. » Ceux qui me posent cette question sont en général les mêmes qui, un instant après, me demandent de faire une conférence à Angoulême, de lire le manuscrit de leur cousin, de rédiger un article « qui ne me prendra qu'un instant » sur Mme de La Fayette ou la vie de Flaubert.

Je ne sais que répondre. Je dis platement : « C'est une question d'organisation. » Que voudriez-vous que je dise?

La seconde petite phrase, teintée parfois d'une certaine admiration sportive, parfois d'une indulgence ironique, c'est : « Ce doit être commode d'avoir la foi » ou « Je vous admire d'avoir... » ou « Vous avez de la chance d'avoir... »

Je ne sais que répondre. Je dis platement : « Pas si commode. » Puis un remords me prend : « Oui, commode, dans un sens. »

Je ne sais pas répondre aux questions. Ou plutôt, je ne sais répondre aux questions que par des images. Je regarde mes enfants, mon travail, ma foi. Je me dis : « Les voilà », comme on se dit devant le miroir : « Voilà mon visage. » Aux autres de le définir. Moi, les définitions...

Le jour où j'ai eu avec Vincent une conversation que j'ai notée, parce qu'elle m'amusait, nous étions allés prendre le thé près de Saint-Séverin, dans le pub anglais où il y a de si bonnes tartes au citron. Ce n'était pas pour le récompenser : il ne l'avait nullement mérité. C'était parce que nous avions envie de parler, tout simplement. Vincent à onze ans : mauvais élève, turbulent, indiscipliné, casse-cou escaladant des échafaudages, âme tendre fondant en pleurs pour un mot de reproche, bricoleur impénitent toujours couvert de colle et de peinture, dévorant des livres de sciences naturelles et Arsène Lupin; parfois un peu pédant, sale comme un peigne, les plus beaux yeux du monde et des connaissances en théologie. Lui non plus, je ne le définis pas.

Qu'il eût envie de parler avec moi « si on allait prendre quelque chose, pour parler un peu tranquillement? » c'était un moment coloré de ma vie, un de ces moments qui en contrepoint à beaucoup de manuscrits lus et de vaisselles faites, forment le fil conducteur de notre vraie vie, de ce qui a compté vraiment, et n'est pas toujours le plus important, en apparence. Le jour où Alberte a joué pour la première fois en public (du piano) et le jour où en sortant de la maternelle, elle a enlevé un petit garçon; le jour où Pauline a dit pour la première fois : « Je dîne en ville » (elle avait cinq ans!) et le jour où elle a eu un prix d'orthographe : elle avait, ce jour-là, un tablier neuf et un tel air d'enfant bien élevé! Le premier poème de Daniel et sa première beuverie, et le jour où il a acheté son saxophone et où nous sommes restés tous figés d'admiration devant l'instrument étincelant dans son écrin de velours frappé, et le jour où, immergé dans la baignoire, entre une cigarette posée sur le rebord et un petit four entamé dans le porte-savon, il m'a dit : « Cette nuit j'ai fait un rêve formidable. J'avais fait un très grand et très dangereux voyage, et je revenais au milieu des bravos épouser une fille merveilleuse. » Toute la simple jeunesse du monde, celle des chansons et des poèmes qui depuis les Croisades s'élance toujours avec la même joie, brillait dans ses yeux, qui sont grands et verts. Voilà des moments qui sont bien liés à la joie d'écrire. A la joie de croire. D'autres sont liés à la peine de croire et d'écrire. Tout cela ne fait qu'un. Mais est-ce que cet « un » répond aux deux petites phrases?

Ce soir-là j'ai dit à Jacques :

— Tu devrais nous peindre. Faire un grand tableau avec toute la famille. Nous deux, et puis les enfants, les animaux, Dolores. Tous les peintres font ça. Selbs-bildnis. L'artiste et sa famille.

— L'ennui, c'est que je ne suis pas figuratif en ce moment, a-t-il remarqué en mâchonnant sa pipe.

— Bon, bon. C'est toujours pour moi toutes les corvées...

— Quelle hypocrisie!...

Je vais faire un tableau. Est-ce que les images répondent aux questions?

Pauline

Pauline. — Est-ce que tu aimes papa?
Moi. — Oui.
Pauline. — Pour toujours?

Moi. — Mais oui.

Pauline. — Comment est-ce que tu peux être sûre?

Moi. — ...

Pauline. — Peut-être tu te diras tout d'un coup : il a un trop grand nez.

Moi. — Mais je n'aime pas papa à cause de son nez!

Pauline. — Moi, oui. J'aime beaucoup son nez. Mais peut-être je changerai d'idées.

Moi. — Et qu'est-ce que tu feras alors?

Pauline. — Oh! Pauvre papa! Je ferai semblant.

Dolores

Dolores vit avec nous depuis quatre ans. Quatre ans coupés d'orages et d'interrègnes de femmes de ménage.

Dolores. — Il ne faut pas dire Dolor*ès*, comme en France. Il faut dire : Do*lo*res. Ça veut dire « douleurs »; c'est le plus beau nom.

Moi. — Ah!

Dolores. — Mais comme c'est trop triste on m'appelle Lolo. C'est plus moderne, plus cinéma.

***

Moi. — Dolores, je prends un bain.

Dolores. — Oh! ça ne me gêne pas.

Elle s'installe sur un tabouret, me tournant le dos, concession à ma pudeur et à la civilisation.

Dolores. — Une cigarette?

Moi. — Je veux bien.

Elle allume deux cigarettes, m'en donne une. Le désordre de la salle de bains est épique. Par les vitraux décolorés toute la maison d'en face m'observe à l'aise. Ces vitraux ont été peints il y a douze ans, avant notre mariage, à l'époque où Jacques berçait nos amours naissantes de belles promesses. Je nourrissais alors l'illusion que, remarquable bricoleur, il allait me faire vivre dans un univers digne des Arts ménagers.

Dolores. — Je profite de ce que vous vous baignez pour me reposer cinq minutes.

Je n'ose lui dire que c'était aussi mon ambition.

Dolores. — Hier j'ai lavé un tas de linge haut comme un homme. C'est qu'ils savent salir, les enfants! Et hier soir j'ai fait une java! Aujourd'hui je n'ai rien à faire, alors je suis triste. Dans ma famille on n'aime pas s'arrêter.

Moi. — C'est pourtant agréable de s'arrêter, parfois.

Dolores. — Est-ce que vous vous arrêtez, vous?

Moi. — Mais... j'essaie.

Dolores. — Vous lisez, même dans votre bain.

Moi. — Ce n'est pas pareil.

Dolores. — Si, c'est pareil! Moi, quand je bouge c'est comme si je pensais.

Je n'ai pas dormi de la nuit, ça m'a fait du bien. On a été d'un café à l'autre, en parlant, avec des Espagnols.

Moi. — Tu ne vois que des Espagnols?

Dolores. — Des Espagnols ou des Marocains. On se comprend, pourquoi changer. Cristina, elle, ne fréquente que des Portugais. Comme ça, elle sait au moins quelle est la nationalité de son fils, si elle ne sait pas qui est son père.

La salle de bains s'est peu à peu remplie d'une

foule discrète. Juanito [1] joue par terre avec la laisse du chien, qu'on cherchera en vain tout à l'heure. Pauline explore ma trousse de toilette et se couvre de talc. Alberte écoute la conversation. Le chien et le chat Taxi se bagarrent gentiment.

Alberte (intéressée). — Elle ne sait pas qui est le père de qui?

Dolores passe tout à coup d'un ton grave et contenu à un fausset suraigu, typiquement espagnol. Elle hurle, sans toutefois que son beau grand visage roman s'anime :

Dolores. — Voulez-vous laisser votre maman tranquille, petites andouilles?

Un brutal reflux se produit sur le forum. Le chien sort en trombe, renversant Pauline qui s'effondre au milieu d'un nuage de talc. Pleurs. Alberte bat en retraite derrière la porte, l'oreille au guet. Juanito s'empare du chat.

Dolores (allumant une autre cigarette). — Ces enfants! Il faut tout de même qu'ils soient bien élevés, non? Juan a été sage cette nuit?

Quand Dolores veut faire « la java », elle me confie Juan, beau bébé grave, un peu morose, d'une dignité tout espagnole, qui se love entre Pauline et Alberte dans un creux du lit, et y subit, résigné, les baisers passionnés de mes deux filles.

Moi. — Très sage.

Pauline (réapparue par miracle, toute blanche des pieds à la tête, voix aiguë). — Il n'a pas été sage du tout, je lui ai dit : « Dors mon petit chéri », et je lui ai chanté une berceuse, et alors il a crié fort, fort, et Alberte elle m'a pincée.

Alberte (de derrière la porte). — Elle lui chantait dans les oreilles!

Pauline (sanglotant avec rage). — Non! Non! C'est pas vrai!

1. Juanito, fils de Dolores, trois ans.

Moi (faible et conciliante). — Il n'aime peut-être pas la musique?

Dolores (indignée). — Lui? Il n'aime pas la musique? Vous allez voir!

D'un revers de main elle arrache le chat à son rejeton (qui l'enfournait patiemment dans un sac en plastique), plante Juanito sur ses pieds, lui crie : « Olé! » et entonne un chant sauvage. Docile, l'enfant claque des doigts et saute sur place, sans perdre sa gravité héréditaire. Dolores le contemple un instant avec ravissement, puis l'empoigne, le couvre de baisers, lui suce la joue, et s'apercevant qu'il est tout mouillé, le rejette du même mouvement sur le sol.

Dolores. — Oh! mon amour! oh! l'horreur!

Juanito retombe sur le sol comme un petit coussin, rattrape le chat du même mouvement et recommence à le fourrer dans le sac, que je reconnais au même instant pour être celui de mon éponge.

Moi. — Dolores! C'est mon sac à éponge!

Dolores (très ferme). — De toute façon, votre éponge est perdue. Qu'est-ce que nous disions? Ah oui, Cristina. C'est la honte de l'Espagne.

Moi. — A cause des Portugais?

Dolores. — Oh! non. Ça encore... Elle est un peu simple, vous savez. Alors elle ne s'aperçoit même pas qu'elle change. Elle ne sait ni lire ni écrire.

Moi. — Evidemment, c'est une explication.

Dolores. — Mais ce n'est pas une excuse à tout. L'honnêteté, ça ne s'apprend pas, c'est dans le sang, comme la danse. Et Cristina n'est pas honnête.

Moi. — Ah! non?

Dolores. — Non. Elle vole même ses amis. Et elle ne sait pas recevoir. Faites-lui un cadeau, ça la chiffonne. Mais voler, oui. Ça laisse libre. J'ai bien ri quand elle s'est trouvée enceinte. Je lui ai dit : « Cette fois tu ne peux pas le refuser, le cadeau! »

Rire argentin d'Alberte derrière la porte. Dolores bondit.

Dolores. — Petite misérable! Tu nous épies! Tu écoutes aux portes! Je vais te couper les oreilles! Je ne te donnerai pas à déjeuner! Je...

Alberte (froide, dédaigneuse, un peu pâle, tient tête à l'orage). — Tu es bien obligée, rétorque-t-elle, sachant ce qu'elle déchaîne.

Dolores (dans un paroxysme). — Comment, je suis bien obligée! Est-ce que tu sais ce qu'elles gagnent à Marseille, les Espagnoles? Des 100 000 francs, et plus, et elles ont leur week-end, et elles ont la télé! Si je reste ici, c'est à cause de ta pauvre maman!

Alberte (ne cédant pas d'un pouce). — Tu es quand même obligée de me donner à manger.

Dolores (folle). — Je ne suis obligée à rien! Je fais ce que je veux! Et pourquoi, d'abord, que je suis obligée?

Alberte (digne). — Parce que je suis un enfant.

Un moment stupéfaite devant cet argument, dont le bien-fondé la frappe, Dolores tout à coup laisse tomber son ire comme un masque, et éclate de rire.

Dolores (me prenant à témoin). — Quel amour cette petite!

Elle l'enlace, la couvre de baisers. Alberte se laisse faire, calme, comme le boxeur qui après un K.O. reçoit l'ovation importune, mais inévitable, de la foule. Le chat étouffe dans son sac de plastique. Juan entreprend de s'asseoir dessus.

Dolores (tout attendrie). — Voyez-les, s'ils sont gentils tous les deux.

Moi. — Je crois que le chat va étouffer.

Dolores. — Mais non, mais non... Tenez, je les sépare. Toujours à vous en faire pour tout le monde! (Dans un élan.) Le mois prochain quand vous me paierez, je vous en achèterai une sur mon argent, d'éponge!

Moi. — Merci, Dolores.

Je sors de mon bain devant la foule qui a reparu, renonçant à trouver au fond de la baignoire un abri contre les vicissitudes de la vie.

*
**

Dolores, passant à Francfort au cours de ses tribulations, y a acheté deux gaines-culottes, pour l'amour de la beauté, car elle déteste porter une gaine. Ces gaines sont noires, incrustées de papillons roses qui volettent. Dans un grand élan: « Tenez, prenez-les! Je ne les ai jamais portées. Ce sera encore plus joli sur une blonde. » Je les porte.

*
**

Marseille

— Les Espagnoles de Marseille, dit Dolores, ont la télé et l'eau chaude dans leur chambre indépendante. Elles peuvent recevoir, elles.

— Mais tu reçois, Dolores...

— Oui, mais qui? Deux ou trois intimes, deux ou trois fois par semaine. Et je suis obligée de vous emprunter *le* plat en argent. Si j'étais à Marseille j'aurais mon argenterie, j'aurais une table pliante, j'aurais des nappes à fleurs, j'aurais un lit-banquette en cuir rouge et noir avec une poupée dessus. Et j'aurais un vrai tableau au mur.

— Qu'est-ce qu'un vrai tableau, Dolores?

— Un tableau comme celui que j'ai rapporté du Mont-Saint-Michel, répond Dolores. Ce n'est pas que je veuille dire du mal de ce que fait votre mari. Quand je ne comprends pas, je ne juge pas. Ce que fait votre mari, c'est peut-être de la peinture, mais ce n'est pas des tableaux.

Anita, Cristina, Concha... Il y a plusieurs Espagnoles que je croise chez moi, sans bien les connaître, ce qui dans trois pièces est parfois embarrassant (mais elles sont très courtoises et s'efforcent de me mettre à l'aise, quand je traverse une pièce en combinaison).

En cherchant mon chandail je les trouve à quatre ou cinq dans la salle de bains; en traversant la cuisine, je me heurte à elles en train de prendre le thé, un ou deux bébés sur les genoux. Elles m'offrent des petits-beurre. Anita, Cristina, Conchita, nourrissent le même mythe, le même rêve : les Espagnoles de Marseille. Les Espagnoles de Marseille sont libres à 5 heures du soir et, en robe de satin, peuvent passer leurs fins d'après-midi à regarder les magasins. Elles ont près de leur lit une bouilloire électrique qui leur permet de prendre au lit leur café du matin (même, la cousine d'une cousine de Lola a eu près de son lit une machine que l'on réglait à l'heure voulue, et qui vous réveillait, le café déjà prêt et bouillant, mais Lola reconnaît, honnête, que c'était chez des Américains. Les Américains de Marseille, c'est le sommet, le pinacle, le couronnement d'une carrière. Le Nobel). Elles ont, les Espagnoles de Marseille, des économies à la poste, c'est bien simple, elles n'arrivent pas à dépenser ce qu'elles gagnent. Elles se baignent l'été, elles font des pique-niques, elles vont au bal où c'est bien plus gai qu'à Paris, car on y joue des paso dobles. Elles y remportent des succès flatteurs car, à Marseille, on aime les belles femmes, pas à Paris avec leurs mini-jupes. Lola, Anita, Teresa sont unanimes contre la mini-jupe. Elles sont très rigoristes sur ces choses-là. La mini-jupe est indécente et, de plus, pas seyante du tout. Quoi de plus beau qu'une belle Espagnole cambrée, la croupe moulée dans du satin, et couverte de volants? Dolores, plus moderne, a acquis une robe à pois qui lui arrive à mi-cuisses. Un de ses amis marocains, peintre en bâtiment, l'a traitée de putain. « Voyez-vous les hommes? dit-elle. Dès que les femmes s'intéressent un peu au progrès... Réactionnaire! » Que ne font-elles pas les Espagnoles de Marseille! Elles ont les meilleurs programmes de cinéma, des films espagnols ou mexicains de toute beauté; leurs patronnes les emmènent aux courses de taureaux à Bayonne; on vend la paella toute faite dans les charcuteries. Quoi d'étonnant, avec toutes ces commodités dont elles disposent, et les relations qu'elles ne manquent pas de se faire, à ce qu'elles trouvent si aisément des pères pour leurs enfants?

— Ah! parce qu'elles ont...

Bien sûr, à Paris, ces accidents sont fréquents. Mais je pensais qu'à Marseille...

— Voyons! dit Dolores. Ce sont tout de même des femmes comme vous et moi.

Je me demande comment vivent les écrivains de Marseille. Dolores voudrait bien que j'aie aussi ma part de rêve, mais franchement, elle ne sait pas.

*
* *

Daniel et la poésie

Tous les ans, début juillet, nous débarquons en Normandie dans un grand tintamarre de casseroles, car l'espoir de voir celles-ci se dédoubler par le phénomène mystique bien connu (et scientifiquement constaté) appelé bilocation est toujours resté vain (voir le chapitre rideaux). Nous avons emporté nos livres préférés, nos instruments de musique, le chat, le chien, douze poupées toutes nues et du piment, mais oublié les fourchettes et les imperméables. Peu importe. Quand Jacques et moi serons lassés de manger du riz à la cuillère, nous ferons un saut, abandonnant nos enfants dans les prés verts, nous retrouverons l'asphalte avec volupté, nous nous précipiterons dans le premier cinéma, puis dans le premier restaurant venu (avec un intense sentiment de culpabilité) et nous regagnerons le Gué-de-la-Chaîne tard dans la nuit, avec fourchettes et imperméables, sauf celui de Pauline dont Dolores nous apprend qu'il était pendu dans l'armoire, ce qui est évidemment déconcertant. Daniel nous attend, et à son visage satisfait, mais grave, nous comprenons que l'événement a eu lieu. Il a écrit son poème, le poème annuel sur la campagne. Ce poème est un acte sacré, rituel. Le vent, très vif sur nos collines du Perche, l'inspire à Daniel chaque année, mais une fois, une seule. Le fait ne se reproduit plus jusqu'à l'année suivante.

— Je te le lis?

— Vas-y.

Les joues un peu rouges, les mains un peu tremblantes, Daniel lit son poème. Pour souligner son caractère rituel, le poème commence toujours par les mêmes mots : « Le matin quand je m'éveille... »

et se poursuit par une description des beautés de la nature et de l'émerveillement qu'elle inspire au sortir de l'année scolaire. Il vante la pureté de l'air, les courbes et les volumes des collines, les charmes de la solitude, le chant des oiseaux; parfois une touche plus réaliste (allusion au bruit régulier des bouses de vache qui tombent) ou plus pratique (dénonciation des méfaits des corbeaux dans les champs fraîchement ensemencés, parenthèse sur l'art de traire les vaches) montre un réveil de l'ascendance flamande. Les vers sont irréguliers, avec des assonances plutôt que de vraies rimes. Daniel s'en est longtemps inquiété.

— Tu es sûre que c'est tout de même un vrai poème?

— Absolument sûre.

— Il y a d'autres personnes qui ont écrit comme ça?

Je sors des références : Apollinaire, O. de Lubicz-Milosz. Daniel est content. Il voit qu'il a bien réellement écrit un poème, et qui correspond à certaines règles. Il aime que son acte, outre son contenu lyrique, ait également une résonance sociale. Il n'écrit pas seulement un poème, mais il *pose* un poème. J'aime beaucoup cette notion de la poésie, et cette absence de prétention littéraire, car de toute l'année, Daniel n'écrira plus rien. « Je n'en vois pas la nécessité », dit-il comme Talleyrand. J'y vois le sens du sacré, le désintéressement, la notion de l'importance et du poids de la poésie. Le goût de la contemplation, le noble mépris de l'exploitation d'un don. Je me sentais même un peu humble, moi qui tous les jours tourne, retourne, cherche, devant le poème annuel de Daniel. Il a cessé de l'écrire l'année de ses quinze ans. La même année il a cessé d'aller à la messe. L'un m'a peiné presque autant que l'autre.

Alberte a eu aussi sa saison de poésie, plus intense

et plus brève. Elle a duré deux mois, elle avait cinq ans. Elle composait oralement, ne sachant pas écrire, et me priait de noter ses compositions. J'étais au premier, dans ma chambre, j'entendais un cri, je me penchais par la fenêtre, je la voyais, son petit visage tourné vers moi, émerveillée par sa propre découverte.

— Maman ! J'en ai encore *attrapé* un !

*
**

Quand nous avons acheté cette petite ferme (non aménagée : elle ne l'est toujours pas) en Normandie, j'avais été touchée de voir qu'au-dessus de la porte d'entrée, petite et basse, une main inconnue avait peint une croix. C'était comme un souhait de bienvenue, un accueil que nous faisait cet inconnu, ce mort peut-être. Elle était presque effacée, cette petite croix peinte à la chaux, quand cette année je l'ai repeinte, en respectant ses contours, avec le fond d'un pot de peinture qui avait servi à rajeunir la salle de bains. Je l'ai fait sans réfléchir. Après : n'est-ce pas un peu déplacé ? Ostentatoire ? Il y en a si peu, maintenant, de maisons qui portent une croix. On a l'air de dire, voilà une église, un exemple de maison chrétienne, une belle image à admirer, alors que ce qu'on voudrait dire tout simplement, c'est : Entrez.

Tant pis. Elle y est, maintenant.

*
**

La messe

— Est-ce que vous priez pour moi à la messe, Françoise? dit Dolores.

— Mais bien sûr. Je n'y manque jamais.

— C'est bien gentil. Moi aussi je pense à vous, vous savez. Quand je sors le soir faire une petite java, je pense : pauvre Françoise, seule dans son lit, avec un livre!

***

Le marchand de plumeaux

Il s'appelait Roger et avait une cinquantaine d'années, une bonne tête ronde de ch'timi, des yeux très bleus d'une savante stupidité. Il apparut un soir, vers cinq heures, pour essayer de me vendre des plumeaux, ustensile dont nous usons peu. Comme je manifestais une faible résistance. « Mais je suis orphelin! s'écria-t-il avec lyrisme. — Qui ne l'est pas, à votre âge? (j'étais dans un jour de dureté de cœur.) — Oui, mais moi, je suis sensible! » J'achetai un plumeau. Fatal entraînement. Toute cette année-là ma maison fut pleine de plumeaux aux couleurs vives. Tantôt achat (« il ne m'en reste que trois ») tantôt cadeaux (« ne me refusez pas vous me feriez de la peine! à charge de revanche. » La revanche venait assez vite). Tantôt dépôt (« je vous laisse ma marchandise, je reviendrai tantôt. » Ce tantôt durait parfois trois ou quatre jours, parfois dix minutes). Les plumeaux servaient de jouets aux enfants, décoraient l'entrée, en bouquets multicolores, encombraient les placards déjà bourrés. « N'oubliez pas de les vaporiser de temps en temps à l'antimites », me disait Roger. Je vaporisais, résignée. « Vous êtes une mère pour moi », me disait mon protégé. J'avais vingt-cinq ans à l'époque et trouvais cette maternité aussi inattendue qu'encombrante. Bientôt les apparitions de Roger se multiplièrent, devinrent une obsession. L'entrée, qui jouxtait notre chambre, lui était apparue comme un endroit commode, propre et chaud, et il prit l'habitude de venir s'y allonger sans façon pour dormir quelques heures lorsqu'il se trouvait sans abri. La première fois, je n'avais pas compris, comme il me racontait, de sa voix douce, traînante, passablement avinée, une histoire de petit hôtel vidé par une rafle, de souliers volés, de patente qu'on lui réclamait, et qu'il ne pouvait fournir. Il parlait, il parlait comme quelqu'un pour qui le temps n'existe plus depuis très longtemps, comme on parle quand il faut à tout prix gagner la faveur de quelqu'un, comme on parle aux flics, au bourreau, à Dieu, avec un mélange de familiarité, de crainte, de ruse, de confiance puérile, de mépris. Et ses yeux restaient fixés avec convoitise sur ces quatre ou cinq mètres carrés de parquet qui tiennent lieu d'entrée, ces quatre ou cinq mètres cubes de chaleur, de sécurité, de sommeil. « Vous avez là une belle petite pièce », me disait-il avec une sorte d'impudence timide. Ou : « Il fait bien chaud, chez vous. » Je crus un instant m'en tirer en lui disant que je n'avais ni couverture ni matelas à lui prêter. « Oh! cela ne fait rien. — Pas même d'oreiller. — Mais je n'en veux pas, dit-il, je prendrais l'habitude. » Il n'y avait rien à ajouter. Il se coucha là, par terre, son litre de rouge à côté de lui, les genoux repliés pour tenir moins de place, son manteau raide de crasse, lui tenant lieu de

couverture. « Comme cela, s'il vient des voleurs, ils devront me passer sur le corps, dit-il radieux.
— Il n'y a pas grand-chose à voler ici, dit Jacques.
— Oh! on trouve toujours. »

C'était très gênant de passer devant lui, en pyjama, quand on avait besoin la nuit d'aller à la salle de bains.

Ses apparitions étaient irrégulières. Tantôt il passait trois nuits de suite chez nous, puis disparaissait pendant plusieurs semaines. Sa vie se déroulait dans une sorte de brouillard, marquée de vicissitudes et de bonheurs également inexplicables. Des agents le battaient, confisquaient ses plumeaux, le déportaient dans des forêts inidentifiables d'où il revenait à pied; on le chassait d'un asile de nuit, on le recueillait dans un autre; on lui faisait cadeau d'un nombre incroyable de vieilles vestes, il aurait pu en faire commerce. Mais des clochards les lui volaient. Il fit cadeau à Jacques d'une casquette trop neuve pour lui. Nous la conservâmes longtemps, car nous étions tenus de l'exhiber à chacune de ses visites.

Sa présence derrière la mince cloison qui séparait la chambre de l'entrée avait fini par m'angoisser. Je dormais très mal, tandis que lui ronflait sous son manteau, le coude replié sous la tête, à l'aise comme sous un pont. Je me disais à chacune de ses disparitions que je n'admettrais plus, que je lui ferais comprendre. Je me faisais de la morale. Ma maison était-elle un asile de nuit? Lequel de mes amis aurait supporté une situation pareille? Ce pouvait même être nuisible aux enfants de voir cette épave, avec son odeur de sueur et de vin, dormir là, dans le couloir... En fait les enfants s'en fichaient complètement. J'aurais logé un éléphant qu'ils l'auraient trouvé gentil, voilà tout. Ce qui m'empêchait de le mettre à la porte n'était ni la bonté, ni un sens mal compris du devoir, ni la sympathie, rien que la conscience qu'il se laisserait faire avec une totale résignation tout comme il acceptait notre hospitalité avec un manque total de gratitude. Il s'attendait à tout; il encaissait tout. Battu par les agents, battu par les clochards, il arrivait moulu, un œil poché, même pas triste. « Ils m'ont encore tabassé! » disait-il avec même un petit air de triomphe. Il se trouvait astucieux parce qu'il survivait.

Tous ces malheurs, c'était la faute de la « patente ». « Ah! si j'avais eu la patente! » comme on dit : si j'avais la foi!

— Mais, Roger, est-ce qu'il n'y a pas moyen de vous l'obtenir, cette patente?

— Pour avoir la patente, il faut un domicile, pour avoir un domicile, il faut de l'argent, et sans patente...

— Mais si je vous avançais...

Il buvait l'argent, dans de petits cafés des Halles, buvait tranquillement, les yeux mi-clos, dans sa face de monstrueux nourrisson, buvait, comme on tète, doux, ingénu. Je le vis un matin que j'allais faire provision de légumes. Il eut des crises de délirium. On lui volait alors son argent, ses plumeaux. Un Arabe le viola, derrière les Halles. Il tira de cet épisode une certaine fierté détachée. Un soir que je recevais Denise Bourdet, à laquelle je désirais faire bonne impression, il surgit brusquement dans la salle à manger, au dessert, tout harnaché de plumeaux, la face hilare. Ce fut le feu d'artifice de la soirée.

Il passait des huit, dix jours à l'hôpital. J'allais lui porter des oranges. Il était propre, rose, frais comme un bébé, bien bordé dans ses draps, content de lui. C'était ses vacances, sa Côte d'Azur. Il aimait discuter sur les mérites respectifs de Cochin, de Trousseau, de la Salpêtrière... « Mais, si vous cessiez de boire, Roger? — Qu'est-ce que j'aurais de plus dans la vie, pouvez-vous me le dire? » Non, je ne pouvais pas. Entre ses petits cafés des Halles, les cages grillagées dans les commissariats, la bonté des uns, la brutalité des autres, les coups, la soupe chaude, les aubaines, les hôpitaux, il s'était fait une idée de la vie. Comment lui chambouler tout ça? « Mais ça doit être désagréable, ces crises? — C'est horrible. Et on finit par y rester, le docteur m'a dit... » Il disait cela d'un air épanoui. « Et ça ne vous fait pas peur? — Oh! un mauvais moment à passer... » C'était ainsi qu'il envisageait toute sa vie : un mauvais moment à passer. Je pense qu'il a fini par passer; tout d'un coup nous ne l'avons plus vu. Je me suis demandé longtemps s'il m'était sympathique.

⁂

Franca

Suzanne, Maria, Consolacion au doux prénom, Marie-Lou la Flamande, Ghislaine, Franca, Louisette, Marie-Ange, vous fûtes successivement, pendant quinze ans, mes amies. Après vinrent Cathie et Dolores, plus chères encore à mon cœur. Mais lorsque tôt levée, on part dès l'aube (dans l'obscur matin d'hiver, c'est doux les premiers bruits, c'est beau les autobus faiblement éclairés, c'est calme les cafés où un Nord-Africain aux manches roulées répand l'eau de Javel ou la sciure... Après, ça se gâte), avec le sentiment d'aller casser des cailloux, qu'on revient épuisée lire quelque manuscrit, répondre au téléphone, apaiser l'enfant grippé qui crie, et que le soir on ne demande qu'à s'allonger pour rejoindre au plus vite le petit matin qui vous redonnera des forces, la présence de cette autre femme, à vos côtés doit être, forcément, une présence amie. Aussi nous sommes-nous choisies, elles et moi, en vertu d'une sympathie réciproque, plutôt qu'en fonction d'aptitudes ménagères souvent discutables, de leur côté, et d'un salaire tout à fait modeste, du mien. Système que l'on critiquera. Mais le moyen de vivre dans trois pièces, et trois pièces qui ferment mal, avec une personne qui ne vous est pas sympathique? Suzanne se fiança plusieurs fois, Consolacion mit mes robes pour sortir, Maria attendit un bébé; Marie-Lou se maria et je dus héberger son mari; Ghislaine eut des crises de nerfs; Louisette me quitta d'une heure à l'autre un 15 août; Marie-Ange disparut avec une partie de ma bibliothèque; Franca buvait. Mais toutes ont été bonnes, ont aimé mes enfants, et m'ont beaucoup appris. Toutes ont participé à mon travail, s'y sont intéressées à leur façon. C'est pourquoi je les appelle mes amies avant toutes les autres. « Combien de pages? » disait Suzanne. Et Marie-Ange : « Ça finira bien? » Louisette, soigneuse et propre : « Quelle belle écriture vous avez! » Mais Dolores d'un regard me jaugeait, sentait l'absence de joie, d'élan, le travail fait à contrecœur, et le « pourquoi? » qui monte aux lèvres à ces moments-là, et : « Moi non plus, aujourd'hui », disait-elle, assimilant à l'écriture la vie même, me rendant mon unité d'un mot.

Suzanne est en Afrique avec son mari, Ghislaine et Geneviève sont coiffeuses. Maria a cessé de travailler. Je ne sais plus rien de Marie-Ange. Franca est retournée à l'usine, dont elle venait.

Je l'aimais bien, Franca, malgré ses airs de mégère; quarante-cinq ans, ravagée, un visage fin et flétri, maigre, le cheveu rare, de beaux yeux, une belle voix profonde, et cette sorte de vacance intérieure que donne la misère à qui l'a vraiment ressentie, et ne peut plus l'oublier. Elle avait voulu, en venant chez nous, échapper à la tension nerveuse de l'usine, qu'elle ne supportait plus. Elle nous en racontait les servitudes, les tyrannies minuscules, les cruautés, le vide intérieur, avec talent et sobriété. Elle introduisit chez nous le règne de la toile cirée : elle en posa partout, même sur mon bureau. C'était une Italienne du Nord, fille de mineurs. Le café se mêla de chicorée, il mijota longuement sur le feu. Franca avait été « dans l'armée » et avait tenu une cantine pour les Américains en Allemagne. Comment était-elle arrivée là ? Incapable de l'expliquer, elle nous considérait avec quelque pitié, comme des enfants qui croient pouvoir disposer d'eux-mêmes et ignorent la puissance des vagues de l'histoire. Comme Roger, elle croyait fort peu au libre arbitre; les circonstances la façonnaient, elle se laissait faire. Sans aptitudes spéciales, sans goûts, sans volonté, à un certain degré de misère c'est cette absence de forme même qui sauve. Nous ne fûmes pas longs à remarquer que Franca, calme et même indolente le matin, quand elle prenait, rêveuse, son café, Vincent sur ses genoux, devenait vers le soir d'une extrême nervosité. Elle attribuait cet état un peu égaré à de violentes migraines. Ingénus, nous la crûmes pendant des mois, jusqu'au jour où, la priant d'apporter à table Alberte, âgée de trois mois, nous la vîmes arriver, titubante, tenant dans ses bras le bébé qu'elle faisait sauter gentiment (pour dissimuler une certaine gêne) mais les pieds en l'air et la tête en bas. J'eus peur des conséquences. Je la suppliai de cesser de boire. Elle cachait des bouteilles de rhum dans la bassine à frites, derrière les draps, au fond du panier à linge. Elle traitait son corps avec le même mépris que ses tabliers tout de suite déchirés, tachés, chiffonnés : il ne lui appartenait pas. Elle ne demandait ni ne prenait de congé, de vacances. Le dimanche n'existait pas, les jours n'avaient pas de noms. Seulement de temps en temps à bout de travail et d'alcool, elle ne se levait pas. Le moment vint où je dus lui dire : « Franca, il faut cesser de boire, ou vous en aller. » Elle tourna vers moi son visage tragique, eut un geste d'impuissance. « Franca, si vous voulez, je prendrai quelqu'un pour quelques mois, et je vous trouverai une clinique pour vous désintoxiquer. — A quoi ça servirait? murmura-t-elle. — Mais enfin, Franca, vous étiez contente ici, on s'entendait bien, vous aimiez bien les enfants... » Sans doute, semblait dire son regard noir, désespéré, mais qu'est-ce que cela pèse, un sentiment, à côté de ce besoin de disparaître, de s'oublier, de s'anéantir? Même ses sentiments ne lui appartenaient pas. Elle était à ce point dépouillée, pauvre de tout, sauf d'une certaine bonté, d'une pitié universelle et résignée, qu'elle inspirait une sorte de respect. Elle partit. Je sus ensuite que le compagnon momentané de sa vie lui ayant posé le même ultimatum, elle l'avait laissé s'éloigner de la même façon, sans un geste. Elle ne l'avait jamais possédé, comment l'aurait-elle retenu? Grande statue de pierre noire, défigurée par l'érosion, au milieu d'un désert. Goûts, désirs, projets, tout cela rongé jusqu'à l'os. Ne demeurait qu'une palpitation nue — l'âme?

Franca sortant une pile d'assiettes du buffet en laisse tomber une qui se brise. Calme, elle rajoute une assiette à la pile. — « Oh! Franca! » Qu'est-ce que c'est qu'une assiette? » dit-elle avec sa douceur un peu hagarde. On a envie de rire d'abord. Puis, non. Qu'est-ce que c'est qu'une vie, aurait-elle dit aussi bien. La sienne. Elle la compte pour rien, comme cette assiette. Effrayant. Mais si la foi prenait à cette vie dépouillée, desséchée, à cette carcasse, quelle flambée! On finit par envier son abandon, par se sentir à côté d'elle, lourd et gonflé de possessions. A minuit, rêveuse, un peu ivre sans doute, elle lave la vaisselle ou le linge. « Franca, vous ne dormez pas assez. — Qu'est-ce que ça fait? » dit-elle avec tant de douce surprise que je n'ose lui dire qu'elle m'empêche aussi de dormir. Qu'est-ce que ça fait?

L'indifférence

Après le passage de Franca, j'ai médité un peu sur l'indifférence. La « sainte indifférence » de saint François de Sales. Le mot choque d'abord. On a tellement l'habitude de confondre la foi avec les élans du cœur. Bien sûr, l'élan du cœur... Mais ensuite? Jacques m'éclaire d'un mot, involontairement : « Quand on dit qu'on a été trop bon, c'est qu'on n'a pas été assez bon », dit-il. A défaut de reconnaissance, on attend du moins de l'efficacité. Argent prêté, temps passé à réconforter, à recommander, oui, mais on veut que cela porte des fruits, que cela soit utile. Visiblement utile. Les élans du cœur sont souvent capitalistes.

*
**

Le chat

— Dolores, je voudrais vous parler un moment, dit Jacques, vers 9 heures, comme Dolores s'apprête à se retirer.

Inquiète, troublée, elle le suit dans la salle à manger. Les ingérences de Jacques dans le train de vie quotidien sont rares, mais foudroyantes et imprévisibles. Je suis effarée; on s'assied dans la salle à manger, les enfants dûment refoulés.

— Dolores, vous savez combien je vous apprécie, dit Jacques avec gravité. Vous avez beaucoup d'ordre, vous êtes très bonne, nous vous sommes très attachés...

Cette avalanche de compliments aggrave notre trouble. Il se passe quelque chose.

— Mais nous avons tous nos défauts. Chez vous, il faut bien le reconnaître, une certaine brusquerie... un vocabulaire parfois violent...

Dolores rougit. Nous nous interrogeons du regard. Qui est la délatrice? Pauline? Alberte? Dolores a-t-elle eu la main un peu leste? l'invective un peu véhémente?

— Et quelquefois, voyez-vous, quelqu'un de sensible peut être très affecté par... enfin, vous avez l'habitude de crier un peu fort.

— Les enfants..., commence Dolores.

— Qui est-ce qui..., dis-je en même temps.

Jacques élève une main pacificatrice.

— Il ne s'agit pas des enfants, dit-il avec douceur. Il s'agit du chat.

— Du chat?

Nous restons sidérées.

— Ce chat, voyez-vous, Dolores, est devenu malpropre.

— Ça c'est vrai, s'écrie Dolores avec véhémence. Hier encore, il a fait pipi sur les souliers de Pauline, cette andouille!

— Eh bien, voyez-vous, Dolores, ce chat est devenu malpropre depuis votre arrivée ici.

Sur le visage de Dolores se peint une stupeur sans mélange. J'étouffe un peu... rire subit qui me prend.

— Un chat est comme une personne. Il a besoin d'affection. Je sais, moi, que vous avez un cœur d'or, mais Taxi ne le sait pas. Il faut le lui faire comprendre. Vos cris l'effraient, vous l'empêchez de se coucher sur les lits, le résultat est inévitable : ce chat a un complexe.

— Ben alors! dit Dolores avec une intonation qui rappelle Belleville plus que Madrid.

— Il manque d'affection. Il veut attirer votre attention, se venger peut-être. Il devient malpropre.

L'idée de la vengeance plaît à Dolores. C'est une notion qui lui est familière.

— Il le fait pour m'emm..? interroge Dolores.

— Exactement. Il faudrait...

Les enfants, massés dans la chambre à coucher, écoutent à la porte avec ardeur; je les bouscule en sortant.

— Qu'est-ce qui se passe? Qu'est-ce qu'elle a fait?

— Papa lui passe un savon, dit Pauline, docte. Alberte est toute pâle.

— Pauvre Dolores!

— Mais non, papa ne la gronde pas, il lui explique quelque chose.

— Quelle chose?

— A propos du chat.

— Moi aussi je vais faire pipi partout, dit Vincent, qui a compris, et comme cela elle ne m'appellera plus andouille, mais Monsieur.

— Tu aimerais ça? dit Pauline.

— Pas tous les jours, dit Vincent.

Dans la salle à manger la discussion se poursuit.

Quand on fait appel à son cœur et à sa raison, Dolores est de très bonne volonté.

— Et qu'est-ce que c'est, Jacques, un complexe?

Jacques explique. Il est 11 heures; je vais me coucher.

Dolores au chat, couché sur les draps :

— Descends de là, andouille!

Aussitôt :

— Oh! Pardon! Descends, ma petite bête.

Nous nous regardons aussitôt. Réprimons un sourire. Respect au maître de maison.

*
**

Taxi a un petit chat. Un seul. On l'appelle Yo-Yo. Elle est devenue propre. Dolores :

— C'est pourtant vrai qu'elle avait un complexe.

Elle regarde Jacques comme une sorte de magicien.

*
**

Fables

Alberte, toute petite, cadette de deux frères, se plaignait de tout et de tous. « Daniel m'a pincée, Vincent m'a pris mon crayon... » Entraînée par sa fureur fabulatrice, elle ajouta un jour : « Le chat m'a dit merde! »

La maison du Gué-de-la-Chaîne, proche de la forêt, connut un jour de gloire lorsqu'une laie traversa la prairie poursuivie par les chiens des fermiers. Les enfants suivirent avec passion cet épisode. Alberte raconta : « Z'ai vu une laie, z'ai vu un marcassin ! La laie a tué le chien de M. Brosse ! » Voyant notre intérêt et notre crédulité, elle ajouta en passant : « Z'ai vu un éléphant... »

*
**

Gilles et Pierrette viennent dîner. Par hasard, j'ouvre un tiroir plein de lettres non ouvertes, factures, contraventions, impôts, quelques sommations d'huissier. « Je ne croyais pas que cela existait depuis Balzac », dit Gilles, avec un mélange d'admiration et d'horreur. Nous sommes un peu confus, comme quelqu'un qui se découvre un talent qu'il ignorait. Il ne faudrait pas donner dans l'affectation.

*
**

Confirmation

A six heures moins le quart, Vincent déclare, paisible :

— Dans un quart d'heure, je dois être à l'église.

Dolores levant le nez de sur son journal, paisible aussi :

— Pourquoi ?

— Je dois faire ma Confirmation.

— Dieu !

Le journal tombe, Dolores pâlit.

— Pourquoi tu ne l'as pas dit plus tôt?

— J'ai perdu le papier.

L'heure n'est pas aux lamentations. En un tournemain Vincent est saisi, lavé, peigné. Pas de pantalon décent, sinon un blue-jean qu'il enfile à la hâte.

— Cours vite!

— Il me faut un parrain, déclare l'ingénu.

— Mais papa n'est pas là! Mais il n'y a plus que cinq minutes! Mais...

A ce moment, Daniel sort de sa tanière, hirsute, les cheveux longs, en chemise à fleurs et gilet rouge moiré.

— Vite, à l'église!

— C'est contre mes convictions, dit ce jeune homme.

Les yeux de Vincent se remplissent de larmes.

— Alors, je serai le seul qui n'aura pas de parrain?

Daniel bougonne, ils partent. Assemblée nombreuse et recueillie. Costumes marins, nœuds papillons, pères, parrains, oncles conscients de leur devoir. Daniel s'aperçoit avec horreur qu'il lui faudra s'avancer, seul, avec sa chemise à fleurs, devant des centaines de costumes croisés. Il tente de boutonner sa veste; il manque deux boutons. Il hésite à emprunter un peigne, hésite encore — le moment est venu. Profondément troublé, il suit le jeune récipiendaire en blue-jean, sous les regards surpris, indignés. Vincent, parfaitement à l'aise, s'agenouille, répond et regagne sa place sans avoir seulement soupçonné l'agitation qui a secoué la paroisse. J'apprendrai tout le soir, en rentrant, de la bouche de Daniel, indigné :

— Et il n'avait rien dit!

— Mais enfin, petit malheureux!

— Quelle importance, dit Vincent, écarquillant ses beaux yeux. J'étais en état de grâce.

M. le curé, le lendemain, comme je me confonds en excuses :

— Mais ce n'est rien, mon enfant, j'ai trouvé ça très gentil (un temps) évidemment, Monseigneur a eu un choc...

A son père qui le tance, Vincent :

— Il faut bien un petit pauvre dans la paroisse, papa.

Humour?

***

Catherine

Catherine (seize ans) a précédé Dolores chez nous. Elle fait la vaisselle quand il n'en reste plus qui soit propre. La cuisine est donc le théâtre d'échafaudages monstrueux et de cataclysmes subits, écroulements meurtriers comparables en intensité à des phénomènes géologiques.

— Catherine, il faut laver cette vaisselle.

— Tout de suite, Françoise.

Je sors. Une heure après, je rentre; des sons mélodieux s'échappent de la cuisine. J'ouvre la porte. Entourée de vaisselle mais comme un roc est entouré de vagues, Catherine est juchée sur un haut tabouret; les joues rouges, gonflées, ses cheveux entourant son délicieux petit visage d'ange musicien, elle souffle dans sa flûte.

— Ecoutez, Françoise! J'ai retrouvé toute seule la musique de *Ma petite est comme l'eau*. N'est-ce pas que c'est joli?

— Ravissant, ma Cathie.

Je referme doucement la porte.

— Cela prouve qu'elle est heureuse chez nous, dit Jacques. Et quoi de plus joli que la flûte? Il faudra lui faire prendre des leçons de solfège.

*
* *

Consolacion

Consolacion nous quitte. Quelle phrase triste : « Consolacion nous quitte! » Elle a vingt-trois ans, elle est bien jolie. Elle vient prendre ses bagages. Une de ses amies lui prête main-forte. Elle est chaussée de ballerines vertes qu'il me semble bien reconnaître. Consolacion suit mon regard, rougit un peu sous sa peau brune, et se jette à mon cou, sans un mot. Adieu, Consolacion. Elle était infiniment gracieuse, avec une façon de passer l'aspirateur qui n'était qu'à elle.

Une gazelle. Les yeux verts; un mauvais goût qui lui allait bien. Quatre ans plus tard, je la retrouve chez mon coiffeur.

— Ça va, Consolacion?

— Oh! très bien!

Elle est couverte de bijoux affreux, de fourrures; belle comme un animal prisonnier. Nous sortons ensemble.

— De quel côté allez-vous?

— Oh! j'ai ma...

Une grosse voiture s'arrête devant elle, avec chauffeur. Elle rougit un peu, se jette à mon cou sans un mot, disparaît. Chère Consolacion.

*
* *

Vincent. — Je pense à la première personne qui a chanté.
Moi. — Eh bien?
Vincent. — Parler, je comprends. Parce qu'on a faim, ou soif; on commence par grogner, comme les bêtes, et puis on parle. Mais pense à la première personne qui a chanté, dans cette caverne, avec les bêtes dehors, qui faisaient peur...
Il faut savoir écouter les enfants. Et se taire.

*
* *

Tante

Ma tante (quatre-vingt-dix ans). — Je suis déprimée, je m'ennuie, à quoi voulez-vous que je pense, à mon âge, sinon à la mort? Je le dis, je me plains à Mme M. et savez-vous ce qu'elle me répond? « Je vais vous envoyer l'abbé Henry. » Pour vous distraire de la mort, c'est trouvé!

Le désordre

D'année en année je suis devenue plus désordonnée. Je suis en retard de trois ans pour mes impôts, de trois mois pour ma correspondance. Je pense de moins en moins à mes vieux jours et aux économies, alors qu'à vingt ans j'y pensais. J'invite des amis au restaurant à la fin du mois, je joue de la guitare tandis que le linge s'accumule, je fais avec mes enfants des « soirées poétiques » au cours desquelles, entourés de bougies, nous lisons tout, de Hugo à Cendrars, en croquant des biscuits, au lieu de leur faire répéter leur latin. J'oublie cocktails et vernissages « utiles » pour aller au cinéma voir *les Titans,* film « à péplum » de série B. C'est fou ce que je suis devenue désordonnée depuis ma conversion.

Il doit y avoir un rapport.

Pourtant cette aube de la conversion, quel beau premier matin de classe, quels cahiers bien rangés, que de pages blanches, de résolutions appliquées! Que d'examens de conscience, de regards vers le Maître, là-haut, grave et sévère devant son tableau bleu : « Ça peut aller? — Pourrait mieux faire. » Toujours l'exténuante mention qui vous suit, à travers les efforts, les défaillances. Ecrire, écrire, écrire, encaustiquer, cuisiner, lire, assister à des réunions politiques, aller à la messe, habiller ceux qui sont nus, réconforter ceux qui sont tristes... « Pourrait faire mieux. » Se confesser avec un réel désespoir, c'est presque ça, évidemment, « je me suis impatientée, j'ai manqué la messe une fois, j'ai dépensé de l'argent à des sottises, j'ai... » mais ce n'est pas tout à fait ça, il manque quelque chose, les cahiers sont tachés, l'écriture se dégrade, il y a des fautes, de grosses ratures...

Les quiproquos tragi-comiques. Au lieu de s'intéresser au beau, avec patience, lire des inepties reposantes... « Mon père, j'ai lu de mauvais livres, j'ai perdu du temps... » « Mon enfant, vous avez souillé votre esprit, le corps est le temple de Dieu, il faut le respecter; ces lectures vous prédisposent au péché... » Voilà qu'il croit que je fais des lectures pornographiques! Allez vous faire comprendre!

Me dire en me levant : quoi aujourd'hui? Ecrire, bien sûr. Deux manuscrits à lire. Un peu de lessive. Pauline chez le dentiste. Les courses, comme hier, le dîner à préparer, comme demain; toute la journée remplie, bourrée à craquer comme un sac à provisions plein de choses hétéroclites : tomates, livre de poche, Omo, stylo à bille; et au bout de tout ça, l'insatisfaction, la frustration, l'inefficacité, qui me retombent dessus, comme un couvercle, à la tombée de la nuit — c'est toujours mon moment d'angoisse : je n'aime la nuit que le matin — est-ce que c'est cela, une vie chrétienne?

Bon, je fais ce que je peux, je n'ai, comme on dit, « rien à me reprocher ». Ce que c'est triste, de n'avoir rien à se reprocher. Et vide. Et qu'y faire? Le martyre, ça n'est pas donné à tout le monde. Il faut l'occasion, d'abord. Et est-ce que c'est une solution? Prenez les ermites. Ils priaient; ensuite, à la chasse aux sauterelles. Leur bouillon d'herbes, les à-côtés tels que retirer les épines des pieds des lions — ce qui ne doit tout de même pas se présenter *tous* les jours — et puis quoi? La méditation devant une tête de mort, un gros livre cent fois relu (sur les tableaux on en voit rarement plus d'un)... Ça va chercher dans les six, huit heures par jour, en traînant beaucoup. Mais on dit qu'ils dormaient très peu. Est-ce qu'ils se disaient, la nuit, dans leur grotte : « Saint Jérôme ou saint Siméon *pourraient faire mieux?* » Et « à quoi ça rime cette vie? Je ferais mieux d'être en ville pour écraser tous ces rhéteurs et m'occuper de mon œuvre » (saint Jérôme qui quitta sa solitude après tant d'années pour écraser un rhéteur dont les arguments lui déplaisaient). Peut-être que saint Jérôme était un cas à part, et qu'il y avait des ermites gais, innocents et joyeux qui herborisaient, apprenaient des tours amusants à leur lion (« saute pour Néron! » rien « saute pour Jésus-Christ » il saute; récompensé par une sauterelle). Mais où trouverais-je le temps d'herboriser?

Il y a l'obsession du travail. Est-ce que je serai assez bien pour travailler demain? Ou est-ce qu'une migraine, une torpeur, un coup de téléphone, une visite, viendront m'en empêcher? On se réveille, on se tâte. Bien disposée? Non? Cette dette urgente, cette lettre à écrire, cette démarche à faire reviennent brusquement m'obséder tandis que je me lave les dents. Tant pis. Serrons-les (les dents). Allons-y quand même, avec la migraine, avec l'angoisse, avec ces petits moustiques obsédants qui bourdonnent. Peut-être un moment d'exaltation, quand même, fredonnant un cantique pour exorciser ces fantômes (compte en banque, lit défait) : « En avant, soldat du Christ... » ou « Dans la vallée de l'ombre je ne crains pas la mort... » Bientôt dissipée, l'exaltation, devant les mots, pesants comme des pavés et qu'on n'arrive pas à soulever, ou qui retombent : Sisyphe. C'est plutôt l'Antiquité païenne, cela.

Le rocher cent fois retombé, revenir, courses, ménage, ou alors présence d'une Dolores, d'une Franca dont l'incompétence éclate à chaque pas, arrive l'obsession seconde : l'encaustique. Difficile à vaincre. On a l'encaustique dans le sang, en Flandres. Je vois le buffet poussiéreux, le sol terne, cette voiture en plastique écrasée dans un coin, l'os du chien, la cage de l'oiseau tout encrassée : une détresse totale m'envahit. Jamais je n'y arriverai. Quand il y a de l'ordre dans mes papiers, il n'y en a pas dans la maison. Quand il y en a dans la maison, c'est la cuisine qui en souffre : steaks hachés et purée en sachet. Quand je couds un bouton, il y a une lettre en souffrance, une leçon non apprise, une vaisselle pas faite. Soyez de bonne humeur, chantez des cantiques, vivez dans la liberté de Dieu quand il y a des moutons sous les lits!

— Il me faudrait plus de temps, plus de temps...

— Oh! oui, dit Pauline. Tu pourrais apprendre la guitare et nous accompagner quand on chante.

Un combat se livre en moi. L'encaustique, ou la

bonne humeur? L'encaustique, ou la joie? Il y a le sens du devoir. Mais quel est le premier devoir?

J'ai appris la guitare (tant bien que mal) et sacrifié l'encaustique.

Jacques ajoute sa pierre à l'édifice : « Qu'est-ce que c'est les dettes, dit-il. C'est du crédit. » Le Secours catholique, qui semble avoir de nous une opinion très favorable (du genre Armée du salut) nous adresse d'étranges recrues. Un légionnaire O.A.S., évadé de prison; une vieille dame qui ne peut pas payer son loyer. « Il faut toujours donner » dit Jacques, épanoui (mais qui déclare au légionnaire qu'il est maoïste, pour rétablir la balance). Le lendemain arrive la vingtième réclamation des Allocations ou des Impôts. J'ai appris à regarder la feuille rose ou verte sans frémir. Notre chemin vers Dieu passe bien évidemment par l'amour et l'imprévoyance.

De temps à autre, je fais encore une crise. Je trie des papiers, je dénombre dans la bibliothèque le nombre de volumes prêtés et non rendus. Et je frotte, je frotte avec rage une journée entière. Mais je sens bien que c'est un péché, car au soupir de Pauline : « Dire qu'on aurait pu aller au zoo faire des croquis... » je réponds un peu honteuse : « Tu as raison. Nous irons dimanche prochain. »

La fatale mention s'efface. « Pourrait mieux faire », bien sûr, mais après tout, la vie chrétienne n'est pas un concours. J'ai des tas de choses à me reprocher, maintenant. Je crois que c'est un progrès moral.

*
**

Daniel, enfant, était d'une merveilleuse candeur, plus proche cependant de l'innocence que de la pureté. A un prêtre qui lui demandait, dans une première confession, s'il n'avait pas de « mauvaises habitudes », il dit que oui et fut surpris du sérieux qui accueillit cet aveu, dont il s'ouvrit à moi.

— Et tu as de mauvaises habitudes?

— Oh! oui, dit-il un peu confus. Je ronge mes ongles. Mais je ne savais pas que c'était un péché.

A un camarade qui lui demandait avec cette malice âcre et ignorante des enfants :

— Tu sais ce que ça veut dire, quand une femme se met à poil devant un type?

Il répondit avec sa douceur rêveuse :

— Ça veut dire qu'elle a confiance.

C'était un enfant merveilleux. Il est devenu un adolescent tout à fait supportable. C'est peut-être encore plus difficile.

*
**

Un passant

Nicolas vendait des journaux, des livres d'occasion; du porte à porte. Parfois des enquêtes; on demande aux ménagères pourquoi elles préfèrent la poudre de pommes de terre au lait concentré, la soupe en sachet à la soupe en cubes... Il vint, il resta. L'accueil, si c'est tout ce que l'on peut faire, du moins cela. Il venait pour prendre un repas, toujours au dernier moment (car si on l'invitait, il ne venait pas) et puis parlait, interminablement. Il se considérait comme un cas. Il fréquentait les psychiatres; chaque entrevue était un combat, dont il sortait victorieux, ayant réussi à garder sa névrose, qu'il exhibait comme un trophée. Il avait été, un temps, fonctionnaire. Il n'avait pu le rester.

« Je me suis conduit comme un fou, un véritable fou, disait-il avec satisfaction. J'ai perdu là la chance de ma vie. »

L'« emploi régulier » était sa hantise. Il le cherchait avec une obstination désespérée. Et puis, il cherchait à le perdre avec la même ardeur. Il était cultivé, intelligent. Il trouvait. Une traduction, un livre à faire... Alors c'était le drame. Il voyait si nettement la traduction idéale, fidèle, élégante, le livre parfait, rassemblant toutes les connaissances sur le sujet et pourtant facile, amusant, inspiré mais documenté, savant mais spirituel, que cette vision le paralysait. Il téléphonait. Il téléphonait beaucoup : le matin, quand on avait réussi enfin à envoyer les enfants à l'école, qu'on se sentait tout frais pour le travail, qu'on venait de pousser un grand soupir de soulagement, qu'on attendait justement, un peu paralysé d'angoisse, que le dépôt des soucis, de l'agitation, descende lentement au fond de l'eau redevenue claire, on aurait dit qu'il la sentait, qu'il voulait la boire, cette paix si fragile, nous la prendre, désespérément, de force, puisque nous ne voulions pas la lui donner.

Et comme on s'y cramponnait, parfois! « Prends-le, toi, disais-je à Jacques, pendant que la voix intarissable, monotone, continuait le récit de ses déboires, de la traduction qui n'avait pas le rythme voulu, de la nuit où s'étaient passées des choses « abominables », des amis qui lui avaient fait sentir que ses ennuis, ils en avaient assez, mais alors, vraiment assez. Jacques prenait le récepteur, plus patient que moi, plus résigné, mais avec ce petit sursaut, ce pli soudain au coin des lèvres par lequel je sentais s'échapper tout élan, toute la fraîcheur de la journée, et parfois furieuse de sa résignation même, une fureur de ménagère devant le maladroit qui ébrèche une assiette, un verre, et dépareille la série, je reprenais l'écouteur, j'étais brève, j'étais froide, je refusais le partage, nous n'avions rien, au moins cela, qu'il nous le laisse, ce moment de grâce, ce moment où nous allions plonger dans l'eau fraîche du travail... Mais bien sûr, puisque nous ne voulions pas la lui donner, puisque nous ne voulions pas partager, il préférait s'obstiner, il savait bien ce qu'il faisait; il souillait notre petite oasis, il la cassait, la détruisait, notre porcelaine, est-ce qu'on a droit à la porcelaine, à la beauté du matin, à l'ordre et à l'harmonie quand d'autres crèvent de ne pas même pouvoir la concevoir? Et quand il était sûr, bien sûr, d'avoir réussi, il raccrochait, l'envoyé du démon.

Nous nous disions, d'une voix un peu forcée : « Bon. Eh bien au travail maintenant. A tout à l'heure » et encore une fois « Travaille bien », ou « Bon travail » comme si rien ne s'était passé. Et nous évitions de nous regarder en face.

Car, bien sûr, quelque chose s'était passé. Ce qui se passait, c'est que toujours, d'une certaine façon, il avait raison. C'était un détraqué, un névrosé, un intarissable bavard; il n'était pas bon, et il tendait des pièges. Mais, d'une certaine façon, il avait raison et c'était cela sa névrose, la clé de son instabilité, de son ingratitude, de ses brouilles constantes avec ses employeurs, ses amis, ses hôtes. Le travail ne répond pas à la lumineuse vision qui est en nous, il se passe à chaque instant des choses abominables, l'amour se fait sans amour, les mots se prononcent sans qu'on y croie, et les amis s'en foutent, ou plutôt ils ont peur, horriblement peur que le virus les gagne, qu'il faille ouvrir les yeux, que leur paix, leur fragile paix à eux, s'effondre...

Il y a, de temps en temps, un soir où tout s'arrange : un soir où Pauline, rayonnante, s'écrie en l'introduisant :

— Vous allez être contents, voilà Nicolas! et où nous sourions, naturellement. Il sourit aussi, avec un peu de rougeur sous son teint pâle de condamné-bourreau. Il joue avec Pauline, joue avec le chien. Le travail a mieux marché, tout prend un sens, les enfants, la maison, le chien, se nimbent de cette générosité revenue, comme un flux de sang, et la peur s'évanouit, elle n'a jamais existé, le royaume des cieux est là tout ouvert, avec une place pour chacun, pour nous, pour Nicolas. Ces soirs-là il se tait, pas satanique pour deux sous. Il risquera peut-être un compliment sur le repas, il regardera la télévision, il se sentira chez lui, un moment, lui qui n'est nulle part chez lui. Et nous aussi, chez nous, enfin. L'éternité est dans l'instant, l'amour est posé là, si présent qu'il nous cause une espèce de palpitation, de suffocation, on l'attendait depuis si longtemps!

Ne pas épingler les papillons. Les suivre du regard, et puis, attendre qu'ils reviennent. Croire qu'ils reviendront. Mais quand?

Thérèse d'Avila raconte quelque part qu'elle passa cinq ou six ans de sa vie sans « espérance sentie ». Cinq ou six ans! Une bien grande sainte.

***

Mme Josette

Mme Josette vit dans une tour. Elle habite un septième étage boulevard de Strasbourg et n'en descend jamais. C'est une petite femme fluette, sans âge, au visage ingrat. Elle soigne les cheveux. Elle les dégraisse, les fortifie, les fait repousser, au moyen de plantes qui sentent bon. J'y vais de temps à autre, depuis plus de quinze ans. Mme Josette n'a pas changé ni bougé. Retranchée du monde comme pourrait l'être une nonne, sentencieuse et parfois un peu bougonne; ses yeux bleus globuleux, pleins d'assurance, son nez cassé, sa bouche un peu pincée. Sans charme vraiment. On dirait qu'elle en tire une sorte de fierté. On n'a pas besoin de ça, c'est du superflu.

Le décor où elle vit est lui-même sans charme, monastique mais sans mystère. Un ascétisme petit-bourgeois. Les trois fauteuils nickelés pour les clients, devant les lave-tête, expriment d'une certaine façon qu'il ne s'agit pas ici d'un frivole salon de coiffure, mais d'un lieu hygiénique, médical. « Le cheveu, dit Mme Josette, a pris beaucoup d'importance dans le monde moderne. Un P.D.G. ne peut plus se permettre d'être chauve. » Je me demande où elle a lu cela. Il y a aussi dans la pièce l'armoire aux plantes, les casiers numérotés (rien de la sorcière chez Mme Josette) des rideaux en plastique partout, des plantes vertes et un tableau qui représente le mont Ventoux. Dans sa chambre, où je suis entrée deux fois pour téléphoner, il y a seulement un petit lit étroit, une table d'acajou, et une étagère de style breton sur laquelle trônent quelques souvenirs; coffret pyrogravé, poupées folkloriques ou en coquillages collés, photos jaunies, cartes postales — j'en reconnais une que je lui envoyai voici trois ans de Normandie — et des livres. Dans la cuisine il y a un buffet modern style et une vaisselle en partie commandée par correspondance, en partie composée de « primes »; une petite table en formica, un tabouret, et le réchaud sur lequel mijotent des herbes. Je ne suis jamais entrée dans la salle de bains.

Une petite fille de l'immeuble fait les courses de Mme Josette. Elle ne sort qu'une fois par mois...

Une fois par mois, pour consulter une voyante en qui elle a toute confiance. Mais que lui demande-t-elle? « Oh! je la laisse parler surtout. L'avenir, les progrès... On arrivera, je crois, à communiquer avec les esprits. Cela vous fait rire? Mais ce n'est même pas du surnaturel, cela. Pas plus que le téléphone. Ils sont là, les esprits, ils sont autour de nous, ce n'est que l'instrument qui manque... Bien entendu, je demande quelques conseils à Mme Gulbenkian pour mes petits placements. » Elle est ainsi, Mme Josette, posée, pleine de bon sens, pratique, dirait-on, dans ses rapports avec l'au-delà comme dans ses spéculations boursières. Car elle lit les cours tous les jours, achète et revend, par téléphone, des actions, et son commerce avec les esprits n'est ni plus ni moins réel que ses rapports avec son agent de change. « C'est tellement commode, dit Mme Josette, en pétrissant un crâne, de n'avoir pas de vie privée. »

Mme Josette a connu une histoire d'amour. La voici. A dix-neuf ans, quand elle ambitionnait de faire de la médecine, elle a connu un étudiant de son âge, Georges. Elle l'a aimé sans espoir. Elle n'a jamais été belle, dit-elle, et, du reste, elle sentait qu'il n'était pas dans sa nature de rien posséder. Georges répétait ses cours et travaillait ses examens avec Josette; il réussit, elle échoua. Cela aussi, c'était « dans sa nature ». Il se lia avec une autre jeune fille, prénommée Monique. « C'était un plaisir de les voir ensemble. » Elle se donna ce plaisir, les accompagnait au cinéma, leur faisait la cuisine au retour. « J'avais une famille, j'étais heureuse. » Georges épousa Monique, Josette fut témoin. Un enfant naquit : Josette fut marraine. Vint la guerre. Georges était juif et fut déporté. Josette recueillit dans son appartement minuscule Monique éplorée et le bébé. « On est bien malheureux quand on a quelque chose à perdre, dit-elle; moi, je n'ai jamais rien eu. » Elle nourrissait Monique et l'enfant, envoyait des colis à Georges et, dans un salon de beauté, shampooinait à tour de bras. Monique dit à une amie commune : « Josette est bonne, mais elle est froide. » « C'est vrai, dit Mme Josette, je n'ai pas sa sensibilité. Mais je le regrette. » Georges revint, Georges mourut. « C'est effrayant ce que Monique a pu souffrir. Pourtant je suis sûre que Georges ne nous a pas abandonnées. Voyez l'enfant, comme elle lui ressemble ! Les choses de la nature aussi paraîtraient extraordinaires si on savait les regarder ! » Mme Josette ne se sert pas de sa voyante pour communiquer avec Georges. « D'abord, dit-elle, peut-être a-t-il atteint la lumière, et je ne voudrais pas le déranger. Ensuite, ce ne serait pas très délicat vis-à-vis de Monique, il me semble. »

Il n'y a pas de photo de Georges sur l'étagère bretonne. Ce n'est pas nécessaire, pense Mme Josette.

Mme Josette n'a pas la télévision. Elle lit les journaux, avec application, de la première ligne à la dernière, avec une mémoire qu'aucun souvenir personnel n'entrave. Lui dis-je que je me rends à Bordeaux pour une conférence, elle commence doucement, en me savonnant la tête : « Bordeaux est une jolie ville, un peu froide, de tant d'habitants. Beaucoup de maisons ne dépassent pas deux étages et comportent un jardin caché. La Bordelaise est coquette et fait appel souvent à une petite couturière plutôt qu'au prêt à porter. Historiquement... » Je l'interromps :

— Etes-vous allée à Bordeaux, madame Josette?

— Il n'est pas nécessaire d'être allé quelque part pour le connaître, dit-elle.

Mme Josette connaît l'adresse d'une foule de médecins, d'acupuncteurs, de voyantes; elle vous dira où il faut envoyer vos enfants en vacances, acheter un abat-jour, prendre des cours de guitare ou de secourisme. Avec la mémoire, la lecture, et la solitude, on trouve une solution à tout.

— J'aime mon travail, dit-elle. Les mains vont, on a le temps de penser.

Et :

— Non, je n'achèterai pas la télévision, cela m'empêcherait de penser.

A quoi, Mme Josette, à quoi? J'ai toujours envie de lui demander, mais le sentiment qu'elle trouverait cela très déplacé m'arrête.

Mme Josette, lorsqu'on s'étonne de sa vie recluse : (« Mais vous n'avez donc jamais envie d'aller au cinéma? De voir ce qui se passe? — Je lis tous les journaux, madame, je vois mes clients, cela me suffit. ») cite volontiers cette anecdote connue qui date de la bataille de la Marne : on demandait constamment à Pierre, chauffeur du général Joffre : « Quand est-ce que cette guerre va finir, Pierre? Que dit le général? Est-ce qu'il en a parlé? » Mais le général se taisait. Un jour, à la question rituelle : « Oui, il m'en a parlé. — Et qu'est-ce qu'il a dit? — Il a dit : Pierre, quand est-ce que cette guerre va finir? »

Mme Josette ne croit pas à l'expérience directe.

— J'ai toujours voté non, contre le président de Gaulle, dit Mme Josette.

— Pourquoi?

— Ces questions qu'il pose, auxquelles il faut répondre par oui ou par non, ne sont pas claires. Elles ne sont pas grammaticales. Est-ce qu'un homme qui ne sait pas sa grammaire peut faire un bon président de la République?

Est-elle d'une intelligence simple et lumineuse? D'une imbécillité massive et royale? On ne sait jamais, on n'est jamais sûr. Ses paroles tombent comme des cailloux dans l'eau, compactes, mais les cercles vont s'élargissant.

Renée, fille de Georges, filleule de Josette, se marie avec un jeune allemand juif pratiquant — ou sinon lui, du moins sa famille. Renée et sa mère aspirent à une noce qui se pose un peu là, des orgues, des bénédictions, une traîne. Le curé demande pour ce faire que le jeune Günther soit baptisé. Il hésite. Mme Josette, au cours d'une visite de présentation, lui adresse ces mots : « Je n'ai pas de religion, monsieur Günther, et j'attends qu'elle me vienne. Mais en changer sans raison, cela n'a pas de sens. Vous ne changez pas non plus de famille n'est-ce pas? Croyez-moi, ce sont les choses qui changent, et non pas nous qui changeons les choses. S'il faut que vous deveniez catholique, cela vous viendra tout seul. Si Renée vous pousse à changer de religion comme on change de veste, vous vous marierez déguisé, voilà tout. » Günther renonce au baptême. Le mariage aura lieu à la sacristie. Renée et Monique sa mère sont brouillées avec Mme Josette.

Mort de Tante

Elle était tellement la même — ou du moins elle déclinait si doucement — que pendant longtemps on l'a crue, quinteuse, tyrannique, généreuse, médisante, intraitable, avec de temps en temps un brusque émerveillement d'enfant : « Vous m'aimez, vous m'aimez vraiment? » et puis sale avec délectation, d'un humour noir qui confinait au sadisme, drôle, d'une noble bêtise, obstinée d'une indépendance qui n'abdiqua jamais, même devant ce corps toujours plus dépendant des autres, elle était tellement la même qu'on l'avait crue immortelle. Elle avait quatre-vingt-treize ans.

Son trait dominant était sans doute la fierté; une fierté poussée à de tels extrêmes qu'on ne peut y atteindre sans bêtise. Plus elle avait besoin des autres, plus un point d'honneur d'une totale rigidité lui faisait un devoir de se rendre insupportable.

A Jacques :

— Tu sais bien me soigner, mais tu as beau faire, on sent que ce n'est pas de bon cœur!

A moi :

— Vous avez bon cœur, ma pauvre enfant, mais comme vous êtes gauche! Vous voulez me soigner, et vous me faites un mal!

A sa concierge, assez brave femme fort bavarde, qui croyait la distraire en lui faisant la conversation :

— Vous croyez que c'est intéressant, les malheurs des autres?

Lui apportait-on, pour varier un peu ses menus, une friandise, un plat confectionné à la maison :

— C'est justement cela que je n'aime pas!

ou :

— Cela me tourne l'estomac rien qu'à le voir.

On finissait par en rire.

Et tout à coup, de ce lit souillé, couvert de miettes, de vieilles boîtes, de vieux journaux auxquels elle n'admettait pas que l'on touche :

— Je suis désagréable, hein? C'est que c'est mon caractère, ça, mes enfants. J'ai toujours eu mon franc-parler. Vous finirez par ne plus venir...

Et dans son œil rond de vieil oiseau, une indescriptible nuance de regret peureux, comique, et ce soulagement prêt à poindre, car elle savait bien que nous viendrions *quand même*, et c'était de ce « quand même » qu'elle avait besoin pour être rassurée, et ces invectives, ces impatiences, cet accueil rébarbatif, c'était son indépendance qui l'exigeait, sa fierté qui l'exigeait, une sorte d'absurde devoir qu'elle s'imposait, pour n'avoir pas l'air de quémander une faveur, pour ne pas céder d'un pouce à la maladie et à l'impotence : c'était ses convenances à elle. Mais quand on en était vraiment exaspéré, désespéré, ce regard piteusement comique nous rappelait qu'après tout, ce n'était *que* des convenances, et qu'elle nous aimait bien.

Dimanche

Je me lève vers 8 heures 30 pour faire le café, décidée à passer ce dimanche dans l'ordre et la discipline. Je fais ma toilette et je m'habille. Voir les choses d'un peu haut, ne pas me laisser engluer. Je réveille les enfants de vive force. Protestations. Je sors le chien. Petit déjeuner en tenues diverses. Daniel, torse nu, joue de la guitare sur un coin du lit, sur lequel je pose le plateau. Le chien bondit pour réveiller Jacques. Les deux chats suivent, majestueux, et s'installent à proximité des croissants. Il n'y a plus de sucre.

Le merle siffle à forte intensité. Le chant de Daniel l'importune. Pauline a enfilé au hasard un slip trop grand (appartient-il à Dani? à Jacques?) qui lui tombe jusqu'aux genoux, avec une belle braguette bien visible et émet la prétention de se rendre à l'église dans cet appareil. Je demande aux enfants de faire leur lit (première sommation dont je n'attends pas, à vrai dire, grand effet). Refus motivé : ils préfèrent répéter d'abord une pièce que nous préparons pour Noël « parce qu'après on ne le fera plus. Tandis que le lit... ». J'ai mes doutes là-dessus. On répète. Jacques refuse de se lever. Il a un tour de reins(?) Il gardera Juanito que Dolores nous a confié pour sa « petite java » hebdomadaire, et qui traîne sur le tapis. A

10 heures 10 on décide tout à coup de courir à l'église. Impossible de trouver ma botte gauche : Juanito l'a fait disparaître. Vincent a un énorme trou dans sa chaussure, très visible.

— Mets tes baskets.

— Je ne peux pas, Juanito les a jetés dans l'eau du bain...

Elles y sont toujours. Je les retire, les mets à sécher. Vincent part pour l'église avec sa chaussette apparente, j'ai enfilé en hâte une autre paire de bottes, qui serrent mon pantalon et me donnent l'air de descendre de cheval. Les petites suivent, mal peignées; à l'église, Pauline s'agite sans arrêt.

— J'aime pas l'église! dit-elle.

— Tu n'es pas obligée d'y aller, à ton âge, répond Alberte.

— J'aime pas l'église, mais j'aime Dieu, répond cette hérétique précoce.

Je rentre : onze heures. Maison sens dessus dessous. Aller chercher des provisions. Bondir aux Batignolles, voir Tante et lui porter à déjeuner, masser Jacques avec une pommade au piment (j'ai une confiance aveugle dans ce remède), préparer le déjeuner. Les enfants refusent toujours de faire leur lit.

— Il faut d'abord que nous prenions l'air.

Mais ils ne peuvent prendre l'air au Luxembourg sans un nouveau ballon, Luc, le chien, les mange tous. Je me déleste de dix francs.

Provisions : lourde caisse à porter le long du boulevard Saint-Michel. Il faut à Daniel quelques boîtes de conserve « un peu extraordinaires » pour faire un petit festin de pré-Noël avec des camarades. Petite station à la maison pour masser Jacques. Il geint. Tout autour du lit des caisses, destinées au déménagement proche, s'entassent. Je ne serai pas rentrée des Batignolles avant deux heures, et Jacques a faim. Il ne veut pas attendre mon retour et celui des enfants pour manger. Vite, des œufs et du vin rouge. Gagnée par la contagion, je m'assieds sur le lit, je mange et bois un peu. Détente. Midi et demi. Vite aux Batignolles. Long trajet. J'essaie de méditer le sermon et me retrouve en train de penser aux cadeaux de Noël.

J'arrive. Porteuse d'un morceau de poulet enveloppé de carton. Tante m'accueille cordialement.

— Quand j'ai envie de voir Jacques, c'est vous qui venez, dit-elle, et quand je veux vous voir, c'est lui.

— C'est bien malheureux, ma tante.

Une fois le principe posé et son indépendance affirmée, elle se radoucit, et même arrive à rire un peu, en me parlant de sa jeunesse.

— Au revoir, ma tante.

— Déjà?

— Vous savez, nous ne déjeunerons pas avant deux heures et demie...

— Quelle drôle d'idée.

Retour. Tant pis, je prends un taxi. Arrivée à la maison. Jacques somnole. Daniel retranché dans sa chambre minuscule avec un ou deux amis y mène grand bruit, avec le secours d'instruments électriques. Le merle surexcité vocifère. Les lits ne sont pas faits.

Je prépare une fondue parce que les filles aiment ça et que ça va vite. Elles n'aiment presque rien, les filles. Du reste Daniel la veille au soir, en allant boire, a laissé le réfrigérateur ouvert, et les chats ont rongé la viande que je destinais au repas dominical. Je le lui fais observer.

— Oh! ça ne fait rien, dit-il gentiment. J'ai déjeuné au restaurant.

Donc de nouveau plateau sur notre lit, fondue, longues fourchettes. Les petits sont ravis, c'est déjà ça.

— Et comme ça papa ne se sentira pas seul.

Jacques qui s'est réveillé un chat sur la tête, l'autre sur l'estomac, rit. Harmonie.

Au dernier moment, on s'aperçoit qu'il n'y a plus d'alcool dans le réchaud à fondue. Il est 2 heures 30. Au moins. Tout est fermé. Les enfants parcourent la maison pour emprunter de l'alcool aux voisins. Ils rapportent : une machine à calculer miniature (réclame de Scotch), un mètre pliant, un vieux numéro des *Pieds nickelés,* deux boules de Noël, trois caramels et une sucette. Ils ont dû croire que c'était les petits frères des Pauvres, les voisins. En désespoir de cause on alimente le réchaud avec un vieux fond de whisky. Ça ne brûle pas aussi bien que l'alcool mais pas mal quand même. Jacques se ranime en buvant du vin blanc. Daniel fournit sa contribution en nous racontant ce qu'il a mangé au restaurant. La bonne humeur est générale.

L'après-midi nous répétons notre petite pièce. Pauline, qui interprète avec talent un crocodile, vient de perdre toutes ses dents de devant. Aussi, chaque fois qu'elle déclare « Regardez mes dents », elle cause un fou rire général.

— Les crocodiles aussi ont des dents de lait, déclare-t-elle.

La discussion est chaude. Les crocodiles gardent-ils leurs dents?

Sept heures. Re-plateau, sur lequel on entasse des victuailles hétéroclites, saucisses, œufs durs, un reste d'épinards, qu'on mange dans des tasses, par un brusque souci de ne pas laisser trop de vaisselle à Dolores. On regarde un western à la télévision. Je dois reconnaître qu'il est prenant. Si prenant que je m'aperçois trop tard que les enfants se sont déshabillés sans quitter Marlène Dietrich des yeux, et que leurs vêtements jonchent le sol. Luc tente de se coucher dessus : Jacques explose. Explosion brève, parfaitement inefficace, mais rituelle. Pauline le sent, qui feint de pleurer par bienséance.

— ... Enfants mal élevés! N'ont même pas fait leur lit!... Profitent de la fatigue de leurs parents!... etc.

Les chers petits restent placides, ramassent leurs vêtements et vont les poser dans la salle à manger, en un tas strictement identique, sur le buffet. Le chat va s'y coucher au lieu du chien. C'est tout de même plus propre. Puis ils reviennent pour la prière en commun avec une telle joie, une telle sérénité, que cela fait plaisir.

— Je crois que ces derniers jours ici seront une apothéose, dit Jacques apaisé.

Nous déménageons dans trois jours.

Enfin, dormir! On sera réveillé en sursaut vers minuit par Daniel qui vient, saisi d'une inquiétude, s'assurer que « le réveil est remonté ». On cause un peu, l'idée vient de prendre un jus de fruit, je me relève.

Lundi matin, je suis partie très tôt. Refaire le blanc dans mon esprit, le vide... Mais en traversant les trois pièces pour aller à la salle de bains, l'une après l'autre, comme des sentinelles qui se relayent, de petites voix s'élèvent dans l'ombre.

— C'est toi, maman?

— Viens m'embrasser...

— Où tu vas?

Mon horaire ne change jamais, mais tous les jours on me dit : « Où tu vas? » Un jour, agacée, j'ai dit à Alberte :

— Au bal, à l'Elysée.

Mais elle m'a répondu :

— Amuse-toi bien,

et s'est rendormie.

*
**

La maison est en carton

La maison est en carton
L'escalier... est en papier,

chante Vincent. C'est bien l'impression que j'ai. Tout me le confirme : le désordre qui règne dans les pièces; l'habillement hétéroclite de mes enfants (Daniel en est à cette période adolescente où les cheveux sur les épaules, couvert de bagues et de chaînes, il évoque un jeune chef barbare ou un figurant de l'Opéra-Comique) ; l'irrégularité de nos ressources, aggravée par l'irrégularité de notre gestion (surévaluant ou sous-estimant tour à tour nos moyens, nous supprimons le blanchissage, le tabac, les timbres — un été Jacques saisi d'une fureur d'économie se mit en tête de se nourrir exclusivement de lait, ce qui lui donna la jaunisse — et puis donnons des dîners de vingt personnes, où le canard à l'orange fume dans les assiettes de cuisine, et où le volnay est servi dans des verres à moutarde) ; la fâcheuse habitude que nous avons d'engager des femmes de ménage sur leur aspect : « Une tête intéressante... Elle a du caractère », jauge Jacques la tête renversée en arrière, les yeux mi-clos, devant la postulante ébahie. Pour ma part, la sympathie joue un grand rôle dans ces élans inconsidérés qui me poussent à engager pour laver la vaisselle une aspirante flûtiste, pour faire les poussières une fille mère affligée de jumeaux, pour cuisiner une sympathique ivrognesse qui avait longtemps travaillé dans des cantines militaires. Cette méthode, basée sur l'esthétique et les affinités électives, a rarement donné de bons résultats, sur le plan ménager tout au moins. L'ancien mannequin sortit chaussée de mes souliers, l'ivrognesse porta ma dernière fille (Pauline) la tête en bas et tenta de l'introduire ainsi dans sa chaise de bébé, la flûtiste fit éclater plusieurs chauffe-eau par une méthode à elle dont elle se refusa toujours à livrer le secret. De toute façon, en conflit perpétuel avec des organismes divers, mais imposants (allocations, C.A.V.M.U., U.R.S.S.A.F., sans parler des impôts directs et indirects toujours en retard, des contraventions qui s'entassent), mon sentiment d'insécurité est aggravé par ces perpétuels boutons manquants, chaussettes et culottes sans élastiques, ampoules électriques brûlées que nul ne remplace, poignées de porte dévissées (est-ce que chez les autres on dévisse les poignées de porte? *Jamais* je ne vois de poignées de porte manquantes dans les familles normales. Où trouvent-ils le temps de les remplacer? Jamais non plus je n'ai pu identifier le mystérieux dévisseur de poignées et autres actes de sauvagerie).

La maison est en carton... Je me suis demandé bien souvent : est-ce ma faute? Et, est-ce normal? L'escalier est en papier... C'est toute la maison qui me semble en papier, avec celui que je noircis patiemment et qui m'échappe ensuite si totalement, avec ces dessins d'enfants partout, les toiles que Jacques entasse sous l'escalier, ces livres ouverts, ces poèmes inachevés, ces collages, et jusqu'à ces bibelots chatoyants et sans valeur qui viennent se poser chez nous et y poursuivent une longue carrière, mieux préservés que de précieux petits saxes (là où un précieux petit saxe ne ferait pas huit jours) : c'est tout cela qui forme la substance colorée, légère et vacillante de notre maison.

Tout s'y brise, s'y empoussière, y disparaît, sauf le plus éphémère. Il n'y a pas d'ordre, pas d'heure, pas de menus, et est-ce un travail que le nôtre, celui qui consiste à patiemment couvrir de couleurs des toiles et de signes noirs le papier? Juste retour des choses, nos enfants manifestent la plus grande habileté dans la confection des mobiles en carton, font des croquis, des poèmes, des collages, du théâtre, dansent, chantent, rient, pleurent, avec la plus grande facilité, mais ne se lavent pas les dents, oublient leur cartable pour aller à l'école, rapportent de mauvais livrets avec un sourire désarmant, et sont généralement prêts à tout, sauf à ce qui est considéré comme l'existence normale des écoliers de leur âge.

Des amis entrent et sortent, dînent ou déjeunent. Des animaux même s'installent, apparemment de leur propre initiative. Un chat perdu, un chien reçu. Un poisson rouge gagné à une loterie et qui atteint aujourd'hui l'âge canonique de quatre années. Un pigeon à l'aile cassée se réfugia un jour dans l'escalier, et à notre arrivée se mit à gravir péniblement les marches, pour s'arrêter devant notre porte. Le doute n'était pas permis. *Il venait chez nous.* Vincent l'hébergea trois mois dans sa chambre. Vite apprivoisé, le pigeon se posait sur son oreiller, à côté de sa tête, pour la nuit. Spectacle touchant, pour qui ne voyait pas l'état de la chambrette, les grains répandus partout, et ces souillures dont les pigeons sont coutumiers et qui, dit-on dans les journaux « déshonorent » les statues. La chambre de Vincent fut totalement déshonorée.

Je ne parle pas des animaux accessoires, tortues d'eau offertes par notre ami Bobby, qui enseigne aux enfants les rudiments de la danse classique (« un bon répétiteur de latin vaudrait mieux », dit Jeanne, mais est-ce notre faute si notre ami est danseur et non répétiteur de latin), hamsters épisodiques, petits chiots « confiés » à Dolores par des voisins qui, eux, vont en vacances, merle siffleur (ô combien!) que le chien dévora, lapin que Dolores gagna à une loterie et qui rendit inaccessible pendant quinze jours l'accès à cette seconde salle de bains dont nous sommes fiers.

Chien, chat, pigeon, lapin, tout ce qu'il faut pour faire une comptine. Maison de papier, maison aux portes sans cesse battantes, c'est en vain que j'essaie de refermer ces portes, de calfater ces failles par lesquelles tout se perd, tout fuit, tout entre. Mais faut-il fermer, calfater, ranger, figer?

Bonnes intentions

Et pourtant, nous nous sommes mariés, Jacques et moi, avec de si bonnes intentions! Tout rentrait dans l'ordre, tout y demeurait. Nous connûmes un temps l'ivresse du raisonnable. Nous cesserions d'être des enfants, nous deviendrions le couple modèle, adulte, dont nos enfants (certains déjà de ce monde) avaient besoin. Ce fut une débauche de rêverie pratique, un romantisme à rebours qui nous donna de vifs plaisirs. Foin de Venise et de Mozart! Nous ne parlions plus qu'étagères, paniers à linge, budgets futurs. Nous sortions pour aller au Bazar de l'Hôtel de Ville acheter des robinets chromés moins chers que chez le marchand de couleurs (on y gagnait 0,95 f par robinet) et nous nous retrouvions dans un restaurant chinois dépensant dix fois le prix des robinets. Mais toujours sous la surveillance de nos modèles, de ce couple idéal et fantôme qui nous hantait, nous faisions semblant d'être là pour « discuter sérieusement ».

Nous rentrions très tard, enivrés de mauvais vin rouge, cramponnés tout de même à des feuillets où se lisaient des chiffres, et que nous égarions tout de suite.

Pourquoi ce couple idéal ne s'est-il jamais matérialisé? Pourquoi les budgets si bien établis n'ont-ils jamais été appliqués, les bricolages ingénieux sont-ils restés sur le papier, les grands principes (Jacques : « Jamais d'animaux. » Moi : « Faire chaque jour une chambre à fond. ») ont-il été violés aussitôt? Les animaux sont venus, les chambres se sont encombrées d'objets (encore un grand principe : pas de BIBELOTS!), ce qui en rend le nettoyage très difficile... Tout a crû autour de nous comme les végétaux dans la jungle. Nous avons vécu dix ans sur l'illusion qu'il « suffirait de déménager ». Et puis nous avons déménagé...

Parenthèse sur les bibelots. Dolores dit : « Si encore ça avait de la valeur! » Ah! mais, que ça n'ait pas de valeur, c'est notre excuse justement.

Le processus fut simple, en somme. Les robinets ne furent jamais posés. Les poignées de porte s'en allèrent les unes après les autres. Les fenêtres cessèrent de joindre, dociles cependant au propriétaire précédent. Le lavabo, traité sans les égards qui lui étaient dus, se boucha avec obstination, malgré les interventions hebdomadaires d'un plombier entre deux âges et entre deux vins, qui me faisait des propositions galantes. La baignoire fut plus accommodante, elle fournissait l'eau chaude en abondance, elle nous recevait des heures entières dans son sein, parfois en nombre, mais pour marquer tout de même qu'elle conservait ses distances, elle refusait par le truchement d'un bouchon récalcitrant, fixé en son fond, de se vider. « Il faudrait faire changer le bouchon », me disait Jacques distraitement, chaque fois qu'il se trouvait dans la baignoire, lisant *le Monde*. « Certainement, mon chéri... » Mais le plombier : « Voyons, ma petite, est-ce qu'on se dérange pour un bouchon? Vous pouvez vous débrouiller comme ça. Vous n'avez qu'à *le* tenir, pendant qu'elle se vide. »

Nous *le* tenons. Dolores ou moi, ployées en deux,

le visage contracté par l'effort, le bras immergé jusqu'à l'épaule dans une eau devenue glacée, et qui se vide lentement. Mais plus souvent nous ne *le* tenons pas, et la baignoire reste pleine quelques heures, ce qui donne l'occasion aux enfants d'y lancer une flottille de pêche (hurlements quand on se décide à *la* vider) et à Juanito de se livrer à des expériences scientifiques : immersion d'un chat, d'un saladier, d'un volume de Balzac dans la Pléiade qui après avoir séjourné trois ou quatre fois dans l'humide élément et avoir été séché sur la chaudière à charbon, a pris l'aspect torturé d'un trophée marin, amphore grecque millénaire, crabe incrusté de madrépores. Cependant nous sommes assez bien avec la baignoire, vieille dame un peu capricieuse mais bienveillante à sa façon. Je ne pourrais en dire autant des deux chaises qui se dérobent sous vous, du garde-manger, particulièrement sournois, qui continue à pincer les doigts malgré toutes les caresses et tous les bricolages, du frigidaire qui, même dans sa prime jeunesse, s'obstinait à produire au cours de la nuit des quantités d'eau trouble, inexplicables, noyant les aliments à lui confiés, et que l'âge n'amena pas à plus de continence. Le buffet perdit ses clés à plusieurs reprises, et que faire à 1 heure 15 quand les enfants trépignent — je vais être en retard à l'école — et que l'on n'a pas accès à la vaisselle? « Des sandwiches », dit Cathie, ange du foyer, que rien ne démonte. Evidemment. D'ailleurs les enfants trouvent cette solution parfaite, comme tout ce qui est inattendu, et pendant qu'on les bourre de pain et de fromage, Taxi, le chat, fera ses délices du bifteck de cheval. Déçu sans doute dans sa vendetta (il a reçu tant de coups de pied!) le buffet rejette dédaigneusement la clé, qu'il recélait au sein d'une serviette de table. C'est raté pour cette fois. Il nous repincera. Dans ses flancs hermétiquement clos se produisent des effondrements de vaisselle, inexplicables, mais efficaces. Plusieurs assiettes à soupe, audacieusement posées sur une pile de tasses, avec un sens aérien de l'architecture qui trahit la main de Cathie, trouvent là une fin prématurée. « On dirait la création du monde de Darius Milhaud », me dit Alberte, un peu pédante. Pauline pousse des cris de joie : dans le désastre elle a retrouvé le coquetier d'argent de son baptême perdu depuis plusieurs semaines. Pensive, Cathie regarde le cataclysme. « Il faudrait tout de même acheter un jour un autre buffet », dit-elle. Elle nous comprend.

Je ne parle pas des ampoules électriques. Notre consommation en est telle qu'on imagine des torrents de lumière, des bals sous Louis-Philippe, les Galeries Lafayette à Noël, Orly, le Ritz, l'Élysée. Elles se plaisent chez nous à des éclatements subits, des disparitions mystérieuses, des métamorphoses étonnantes, des expériences perverses. Teintes en bleu, en jaune, elles préfèrent comme Achille une vie courte et glorieuse à une longue existence obscure sous l'abat-jour (d'ailleurs nous n'avons pas d'abat-jour, mais des globes en plastique qui présentent l'avantage, une fois chauffés comme il faut, de prendre une mollesse et une plasticité qui permettra de les modeler comme de l'argile). La vie secrète des ampoules chez nous demanderait un volume. Et nous sommes résignés à les traiter comme des danseuses d'Opéra qui coûtent très cher, vous trompent, vous quittent, mais dont on ne saurait se passer. Non, ce qui nous chiffonne, ce sont les rideaux. Pourquoi dans les maisons où nous sommes, n'y a-t-il jamais de rideaux?

Rideaux

Un jour de détresse aiguë, en Normandie, dans cette maison de campagne dont le nom seul paraît conférer pourtant un brevet d'honorabilité (« ma maison de campagne » ou « notre petite propriété en Normandie » cela fait bien), je dus constater qu'en dépit d'une attente digne des Mages, les rideaux n'étaient pas venus se poser à nos croisées rustiques. Et pourtant, je les imaginais bien, à carreaux rouges et blancs, très « fermette » — Jacques les voyait plutôt à rayures, blancs et verts, ce qui donnait lieu à des discussions très posées, très jeune ménage, auxquelles participaient les enfants, qui souhaitaient plutôt des fleurettes; tout cela était parfaitement gentil, dans l'esprit de ces films américains où on voit des familles si parfaites entourées de mixers. Mais les rideaux ne venaient pas, en dépit de notre confiance. A Paris nous avions un peu perdu courage, au cours des années, il apparaissait de plus en plus évident que les rideaux ne viendraient pas. Les voisins avaient pris l'habitude de voir nos enfants enfiler leurs culottes Petit-Bateau, et pour nous, quand une crise de pudeur nous prenait, nous avions l'entrée, qui ne comportait pas de fenêtre. Mais à la campagne, avec l'encouragement des prés verts, des pommiers en fleur ou en fruit, l'espoir était revenu. La maison appelait des rideaux, c'était une évidence. On s'attendait presque à les voir arriver comme un vol d'hirondelles, par la fenêtre, un jour de beau temps. Jacques disait de temps en temps, avec un soupçon d'impatience tempéré d'optimisme foncier : « C'est tout de même curieux qu'il n'y ait pas de rideaux ici. » J'approuvais. Nous partions pour la messe ou pour le marché. Nous partions, nous revenions, la voiture pleine à ras bord de choux, de caramels, d'illustrés (ne pas oublier les photos-romans de Dolores) et de cigarettes, galion d'un conquistador de Primistère : pas de rideaux. Leur absence me frappait à chaque fois davantage. Dans mon cœur, le génie domestique de la Flandre gémissait. Et un jour l'évidence me frappa au cœur, cruellement, comme le trait de lumière Paul de Tarse, me laissant atterrée, prête à plier cependant devant le destin : nous n'aurions jamais de rideaux.

Il y a des gens dont les rideaux ne veulent pas. Il y a des gens dont la vaisselle est toujours dépareillée. Il y a des gens dont les cheminées fument et que les buffets détestent. Il y a des gens sur la chevelure desquels le peigne ne mord pas, que n'entament pas les permanentes les mieux conçues. (« Que voulez-vous », me disent, navrés, une charmante Mme Eliane, ou encore le gentil M. Jean-Pierre, qui tentent parfois de civiliser mes cheveux. « Vous vous donnez un coup de brosse, et vous fichez tout par terre ! ») Ces gens-là, leurs enfants ont toujours les dents mal rangées, les lacets de chaussures dénoués, une tache d'encre sur leur pull du dimanche, des boutons qui manquent partout et *les Trois Mousquetaires* cachés dans leur cartable, entre un chewing-gum écrasé et un porte-clés. Qu'y faire ? O mes Flandres dorées ! O rêves de porcelaine ! O génie domestique des cruches vernissées, des parquets étincelants, des robes du dimanche ! Tulipe unique dans un vase, livre oublié sur une table et qu'on retrouve là ! Armoires à linge !

Je pleurai. Je priai. J'écrivis un poème. Nous n'avons toujours pas de rideaux.

*
* *

Un ami m'offrit un livre de comptes. Puis une agrafe monstrueuse destinée au courrier, qui portait ces mots (menaçants) : « N'oubliez pas. » Puis un oiseau bleu fort joli, destiné à recueillir les épingles, qui vont et viennent dans la maison comme des anguilles dans l'Océan, avec frai et migrations. C'était dangereux. Il pactisait déjà. Enfin il m'offrit une fleur en papier, sans utilité aucune. Encore une chance de fichue. La contamination avait joué.

*
* *

Objets

Mais il y a des objets qui nous aiment. Les cerfs-volants par exemple. Les tirelires mexicaines, petites têtes goguenardes suspendues au-dessus du piano. Les instruments de musique (pour mon aîné, banjo, guitare, saxophone, clarinette, tambour congolais, auxquels s'ajoutent parfois des percussions plus épisodiques). Pour ma fille Alberte, le piano, pour moi la guitare d'accompagnement, mon mari possède un violoncelle dont il use peu, mais dont la présence pansue lui apporte des satisfactions secrètes. Nous eûmes en la personne de Catherine, ange normand, qui passa chez nous son adolescence, de quatorze à dix-huit ans, une flûtiste persevérante. Dolores règne par le flamenco. Daniel régente des orchestres de jazz éphémères mais bruyants (une de ses formations les plus réussies fut dissoute pour avoir, un 14 juillet, déçu la foule en délire d'Arcueil-Cachan par un jeu trop discordant, et fini, sous l'effet de l'ébriété, par joncher l'estrade tricolore!). Enfin nous avons eu un merle des Indes, qui était censé imiter la voix humaine, mais qui, ayant commencé avec un dédain calculé par aboyer comme le chien, se tourna ensuite vers la musique, considéra la radio et la télé comme ses rivaux sous notre toit, et en arriva à produire des sons suraigus et surpuissants, d'une étendue et d'une diversité qui ne le cédait en rien à la voix d'Yma Sumac, l'héritière des Aztèques, le rossignol américain. Se plaisent encore chez nous : les poupées, les kaléidoscopes, les bocaux vides (sans couvercles), les bouteilles de formes étranges (dont l'assemblée espère qu'elles se transformeront un jour en lampes) les chaussures (dont aucune paire, même usée, ne se décide jamais à nous quitter — de guerre lasse, Daniel, qui est entreprenant, les fixa pour un temps, mais en quantité, au mur de sa chambre, par des clous : ainsi du moins sait-on où elles sont). La ficelle, les tubes de Scotch, les paniers d'osier défoncés, les tentures multicolores (trop petites pour servir de couvertures), les châles (comment voulez-vous sortir de chez vous drapée dans un châle de trois mètres? Les chats l'aiment bien), les livres, les agrafes métalliques, les châssis sans toiles, les toiles sans cadre, les shakers à cocktail rouillés et les pelles à tarte d'origine mystérieuse, les médicaments que personne ne prend. Les clous tordus. Les classeurs, où rien n'est classé. Les stylos et les brosses à dents nous sont fidèles. Les clés, quoiqu'un peu facétieuses, croissent et multiplient car il y en a une quantité, grandes ou petites, qui n'ont jamais appartenu à aucune serrure. Certaines ne sont pas plus grandes qu'un ongle. Avons-nous été Lilliputiens dans une existence antérieure? J'en contemple une en rêvant. Je n'ai jamais eu de coffret à bijoux, ni de boîte qui ferme à clé, ni d'étui microscopique... Une tirelire? L'étui d'un peigne en or? La boîte à couture dont nous avons toujours rêvé mais que, pas plus que les rideaux, nous n'avons vu encore arriver? « Ne t'en fais pas, dit Pauline qui me surprend dans ma contemplation, elle grandira comme les autres. Elle est seulement un peu en retard. »

***

La politique

Mme Josette. — Si je sortais, j'irais bien à la manifestation du Trocadéro parce que je suis gaulliste.

Moi. — Vous êtes gaulliste et vous avez toujours voté non?

Mme Josette. — Ça n'empêche pas. C'était une question de grammaire, je vous l'ai dit. Vos étudiants, vos Cohn-Bendit, quelle horreur!

Moi. — Vous êtes contre les étudiants, madame Josette?

Mme Josette. — Mais bien sûr. Ils parlent, ils font du bruit, au lieu d'agir, de prendre la place de tous ces monstres et de changer un peu tout ce qui ne va pas. Voyez les promesses qu'on fait, l'augmentation, l'augmentation... Après, ce sera l'inflation, et si on ne peut rien acheter, qu'est-ce que ça apporte, d'être augmenté? Moi, je réfléchis. C'est le pouvoir d'achat qu'il faut augmenter et pas le nom de l'argent. Et on ne peut pas augmenter le pouvoir d'achat de la façon dont c'est organisé maintenant. Ce sont les intermédiaires qu'il faut supprimer, c'est toute l'organisation qu'il faut refaire.

Moi. — Par la force?

Mme Josette. — Pourquoi pas? Ils feraient mieux de prendre le pouvoir, vos étudiants, que de palabrer à l'Odéon.

Moi. — Vous êtes plus révolutionnaire que vous ne pensez, madame Josette.

Mme Josette. — Moi? Je suis de droite, comme toute ma famille. Mais je réfléchis.

Et c'est vrai. La solitude et la réflexion ont fait de Mme Josette un être à part, entièrement original, peut-être fort peu doué au départ mais qui du moins s'est développé sans entraves, et ignore complètement le sens de sa transformation. L'idée qu'elle est « de droite », le bahut breton, sont des héritages de famille qu'elle conserve par piété et sans les voir pour ce qu'ils sont. Elle est une illustration étonnante des belles pages de S. Weil sur l'attention. Elle n'a que cette faculté et en tire une vie intérieure suffisante pour la combler. Elle ne désire rien d'autre. « Les ouvriers, dit-elle, réclament encore des vacances! Des vacances! Est-ce qu'on a besoin de vacances quand on a un travail qui plaît et qu'on a du temps pour réfléchir? Seulement ils n'ont ni l'un ni l'autre, alors ils ne savent plus quoi demander. Vous voyez bien qu'il faut tout changer. »

Parfois Mme Josette m'effraie un peu.

La gerbe

Jacques et Daniel ont coutume d'exprimer avec beaucoup de fermeté leurs opinions politiques.

Jacques met au service d'arguments, en somme, assez posés, une violence toute catalane; Daniel exprime les points de vue les plus extrêmes avec une froideur nordique. L'interlocuteur, pris en sandwich, est vite dérouté, affolé, le vertige le gagne, et pour peu que ses opinions diffèrent, véhémentement raisonné ou froidement condamné, devant cette double attaque il finit par quitter la partie, ou par passer une bien mauvaise soirée. En vain j'essaie de les apaiser.

— Si on ne parle pas de choses intéressantes, pourquoi se réunir?

Evidemment.

J'invite dernièrement à nos dîners du dimanche une amie perdue de vue depuis quelque temps, jeune femme agréable et jolie, mais qui se déclare d'emblée, l'ingénue, « complètement démobilisée » politiquement. Les yeux de Jacques s'enflamment, le visage de Daniel se fige. L'assaut va commencer. En vain, j'essaie de lancer quelque autre sujet de conversation. Il est déjà trop tard. D'autant plus que l'invitée, s'attendant à quelque échange mondain, n'esquive pas, ne saisit pas la perche tendue, et continue à professer un élégant mépris des engagements trop fervents. Jacques entame le combat sur un vibrato encore modéré. Daniel descend jusqu'à une basse doucement grondante. Ils démarrent harmonieusement, puis, au bout de dix minutes, s'affrontent, se rejetant l'un à l'autre la malheureuse déjà ahurie. L'affrontement devient violent. L'index de Jacques se tend, vengeur, la main de Daniel se pose, protectrice, sur la visiteuse. C'est un procès, où le rôle de l'accusation est assumé tour à tour par l'un et par l'autre, cependant que celui d'avocat passe immédiatement à la partie adverse. Défendue, vilipendée, accusée des pires sous-entendus, déchargée au nom de circonstances atténuantes qu'elle ne se connaissait pas, elle ne peut cependant placer un mot, ni manger l'assiette de couscous que j'ai placée devant elle et qui refroidit lamentablement. En désespoir de cause, j'essaie, avec Andrée, amie de toujours, et philosophiquement accoutumée à nos éclats, une diversion. A tue-tête :

— Andrée, as-tu vu *Il était une fois dans l'Ouest?*

— Oui, hurle-t-elle, j'aime assez le passage où...

Un moment l'invitée échappe à la redoutable fascination des deux champions qui poursuivent leur joute.

— J'ai énormément aimé, dit-elle.

Assis en bout de table, Bobby, danseur classique, et épris d'harmonie, voit le sens de mon intervention et veut me prêter main-forte.

— C'est un film américain, je crois?

— Oui, je l'ai vu à New York, dit l'invitée.

Daniel n'a pas laissé passer cette phrase.

— Vous y étiez allée exprès, je pense?

A Jacques :

— Elle pense que l'Amérique...

— Non, elle ne le pense pas! rétorque Jacques avec violence.

Dressés l'un contre l'autre, l'un admirable de maîtrise, l'autre bouleversant d'ardeur, je ne puis laisser d'admirer mon fils et mon mari, cette vitalité qui les dresse, et cet accord profond qui de temps en temps se manifeste, comme une trève de Dieu après laquelle la joute reprend de plus belle. La visiteuse, à vrai dire, ne leur sert que de prétexte, de ballon, et c'est leur belle santé morale et physique qui donne cette intensité à une controverse purement formelle. Mais « ce n'est pas parce qu'on est du même avis qu'il ne doit plus y avoir de conversation, non? ».

— Reprends un peu de mouton, quelques légumes?

Je supplie en pure perte. Elle a l'appétit coupé. On l'aurait à moins.

— Ce type de personne amène à la démission pure et simple...

— Pardon : au fascisme larvé, d'autant plus fort qu'il est inconscient...

— On pourrait admettre pourtant..., vocifère Jacques.

— Si on se met à admettre quelque chose, on admet tout, dit posément Daniel, Fouquier-Tinville en herbe.

Je crie avec l'énergie du désespoir :

— Et *Porcherie?* As-tu vu *Porcherie,* Andrée?

Hélas, Andrée est animée elle-même d'une ardeur guerrière, que seule la volubilité des combattants l'empêche de manifester, et au lieu de me répondre, elle se tourne vers Vincent et sa petite amie Sylvie, treize ans, qui demandent :

— Qu'est-ce qu'ils disent?

— Ce qu'ils disent, mes enfants? Mais toute la responsabilité de l'homme est mise en jeu, voyons. Ne comprenez-vous pas que...

Tout est perdu. Je vais chercher le fromage, escortée de Bobby qui gémit, tenant entre ses mains sa tête bouclée :

— C'est un dîner d'apocalypse, d'apocalypse!

L'amie est partie vers 10 heures, restée courtoise, mais pâle, les yeux cernés, avec la migraine.

— Comme c'est vivant chez toi! a-t-elle dit poliment.

Le lendemain, dans la salle de bains, reflux de la marée, Jacques et Daniel sont saisis de remords.

— On lui a gâché sa soirée...

— Elle était pourtant si sympathique...

— C'est une jolie fille, pas bête...

— Elle n'osera pas revenir... Que faire?

— Si on lui téléphone pour s'excuser, elle croira qu'on se moque d'elle...

Jacques est illuminé d'une idée :

— On va lui envoyer une gerbe de fleurs.

— Ce n'est pas bête, dit Daniel. Mais je croyais qu'on était si fauchés en ce moment?

Ça ne fait rien. On mettra un mot gentil. Une gerbe!

L'acte expiatoire est accompli dans la journée. Le soir même, nous nous rendons en groupe, Jacques, Daniel et moi, dans un cocktail mondain donné en l'honneur de ma mère. Daniel y rencontre une jeune amie, fiancée depuis peu. Ils s'isolent dans un coin. Après avoir rempli mes devoirs de politesse, je m'aperçois que Jacques est allé se joindre aux jeunes gens. Je m'approche et au moment même :

— Je vous admire d'avoir des convictions, entends-je. Pour ma part je n'en ai aucune, mais vraiment aucune...

Je me précipite :

— Attention! Rappelez-vous!

Ils me font un signe de tête rassurant. Maman me harponne pour me présenter à de nouveaux arrivants. Je m'éloigne l'angoissse au cœur. Vingt minutes après, je les retrouve, Jacques fort animé, Daniel trop calme, la jeune fille trop rose.

— Je vous quitte, dit-elle avec un soulagement évident. Je me dois aux autres invités.

Je jette sur mon fils et mon mari un regard soupçonneux. Le leur me fuit.

— Qu'est-ce que vous avez encore raconté à cette pauvre jeune fille?

— Oh! rien... moins que rien... petite discussion...

— Allons! Soyez francs! C'est la gerbe?

— Je crois que c'est la gerbe, dit Daniel.

Cela finira par nous coûter cher.

*
* *

La religion

Tante s'était mariée en 1914. Six mois après, son mari, très aimé, était porté disparu. « Dieu l'a voulu, dit-elle. Je ne peux pas dire que je lui en sois reconnaissante. »

Restée veuve, sans même avoir l'idée de se remarier, dans son trois-pièces obscur et malpropre, au rez-de-chaussée, elle abrita, nourrit, entretint successivement, et tyrannisa, divers membres de la famille en difficulté, prenant soin qu'ils pussent la quitter sans un trop lourd fardeau de reconnaissance : ses remarques acerbes, ses suppositions injurieuses sur leurs mœurs et leur désintéressement, les en déchargeaient. Elle niait aussi le tendre plaisir de secourir qui était la plaie de cette âme fermée, hargneuse et bonne. Elle instaurait des rapports durs, ironiques et sans pitié, elle tyrannisait le besoin affectif qui lui restait d'une enfance orpheline. Sur la tombe des cousins qui l'avaient élevée « par charité » elle ne manqua jamais, tant qu'elle fut valide, de porter des fleurs chaque année. « Je le leur dois, mais je ne peux pas dire que je les regrette. »

Elle tenait d'ailleurs un compte fort exact des anniversaires, des cadeaux, des attentions qu'il lui fallait « rendre », et le lent supplice de cette paralysie qui gagnait ses membres un peu plus chaque jour lui fut certainement moins pénible que celui de n'avoir plus de quoi « rendre », de ne plus pouvoir « rendre ».

D'une économie, d'une parcimonie féroce pour elle-même, elle distribuait le montant de sa maigre pension de veuve de guerre et de retraitée des

P.T.T. avec une agressive générosité. Il lui fallait croire à la vénalité de ceux qui venaient la voir. (Prenez ce billet, emportez ce vase, ce tableau, ce bibelot qui vous a plu, si, si, je le veux!) : l'amour, la bonté, la pitié, lui eusssent été trop lourds à porter. Et pourtant, quand de guerre lasse et lui voyant des larmes d'exaspération dans les yeux, on acceptait ce don forcé, elle avait une façon de remercier, pitoyable et farceuse, qui montrait bien qu'elle n'était pas tout à fait dupe de cette comédie qu'elle nous forçait à jouer.

Ainsi promit-elle le ciel comme appât, quand elle n'eut plus rien d'autre. « Le bon Dieu vous pardonnera bien des choses parce que vous avez fait votre devoir envers moi. » Elle-même avait fait, en toutes circonstances, « son devoir », prenant toutes ses précautions pour que l'on ne crût en aucun cas qu'elle agissait par bonté ou par sympathie; elle s'en fût sentie diminuée.

Dieu tenait un cahier de comptes, il saurait « rendre ». Elle ne lui demanderait rien de plus, n'osait rien lui demander de plus. Elle tenait à ce que les formes de sa foi fussent respectées; l'abbé qui lui portait la communion ne trouvant pas de nappe blanche décida de s'en passer. « Mais est-ce que sans nappe blanche cela *compte?* » Elle avait une foi de Canaque, minutieuse, quant aux observances, aveugle, quant à l'esprit, fidèle et obstinée cependant. Personne n'était moins délicat qu'elle. Elle blessait dix fois par jour celles qui l'entouraient, un petit monde de concierges au grand cœur, dames patronnesses faisant leur B.A., femmes de ménage brutalisées qui s'en vengeaient en propos venimeux et vulgaires, et revenaient, pourtant, fidèles elles aussi. C'était horrible, c'était fascinant.

Joutes oratoires.

Une femme de ménage :

— Avec ce que vous souffrez et ce que vous faites

souffrir aux autres, il vaudrait mieux que vous soyez morte!

Tante :

— C'est ça! Pour ramasser mes économies et emporter mes provisions, hein?

Elles ne riaient qu'à demi. Nous n'avions pas la robustesse de ces femmes, nous sortions le cœur navré. Peut-être avions-nous tort? La concierge vulgaire, la femme de ménage hargneuse, les « visiteuses » qui se bouchaient le nez devant la puanteur du taudis, la pocharde qu'elle hébergea un temps et qui lui volait ses billets de mille (ce qu'elle feignait de ne pas savoir et savait fort bien), elles ne l'abandonnèrent pas.

Cette pocharde, Mme Hélène, était une ancienne chanteuse de music-hall, qui avait été, disait-elle, richement entretenue. Quand Tante l'avait recueillie, elle logeait dans un escalier avec son chat, et était, disait-on, la maîtresse d'un bougnat, qui lui concédait à ce titre cet escalier. Deux monstres. Gonflée et flasque, elle s'enivrait au point de marcher parfois dans l'appartement de ma tante à quatre pattes, de s'effondrer dans le couloir de la cuisine et de s'y endormir, gaz ou électricité allumés. Nous craignions l'incendie, l'asphyxie, nous tentions de persuader Tante d'expulser cette compagne encombrante. Elle refusait avec une sorte de terreur. « Cela porte malheur de chasser un pauvre! Non, Jacques, ne le fais pas! » Il hésita longtemps et il offrit huit jours d'hôtel à Mme Hélène, qui retourna ensuite à son escalier. Le jour de l'enterrement, complètement ivre, mais en pleurs, Mme Hélène, le chapeau de travers, figurait à l'église; la concierge, la femme de ménage, n'avaient pas osé franchir le parvis. J'aurais bien souhaité pourtant qu'elles fussent avec nous dans l'autobus qui nous conduisait au Père-Lachaise; mais cela n'était guère compatible avec les « convenances » représentées par le croque-mort impitoyable, en cravate noire, un brassard sur la manche, qui « conduisait le deuil ».

La pauvreté

Marie-Louise, dernière femme de ménage logée de Tante, le matin de sa mort, le corps encore sur le lit, alors qu'elle a assisté à l'agonie et donné les derniers soins à la pauvre tante, fait son baluchon, défait son lit, prête avec une soumission militaire quand nous arrivons, vers 10 heures du matin, pour prendre les dispositions nécessaires.

— Je m'en vais tout de suite? demande-t-elle, sa petite valise en carton bouilli à ses pieds.

— Mais savez-vous où aller, Marie-Louise?

— Ah! ça non.

— Avez-vous un peu d'argent?

— Ah! ça non.

Elle s'apprête donc à partir, à se trouver, d'une heure à l'autre, dans la rue, cette femme de soixante ans, et qui a été bonne pour notre tante. Sans argent, sans logis, d'une heure à l'autre, cela lui paraît naturel. Elle a perdu son mari, elle n'a pas eu d'enfant.

— Je trouverai peut-être des bureaux, mais avec la grève...

Nous protestons. Rien ne la presse : le terme est payé, le temps de faire le tri des papiers, de déménager les quelques meubles, elle peut très bien rester encore une semaine ou deux. Elle est toute surprise, presque décontenancée. Oh! ce n'est pas de nous qu'elle doutait, de notre *bonté*, explique-t-elle (la bonté qui consiste à ne pas jeter dehors, en une heure, une vieille femme qui vous a rendu service!) c'est seulement que c'est l'habitude...

Où a-t-elle pris cette conviction, que notre étonnement ne peut dissiper?

— Mais les gens ne sont pas si méchants, tout de même, Marie-Louise! Vous ne pensez tout de même pas sérieusement...

— Oh! bien sûr que je savais votre bonté, monsieur et madame Jacques! Mais je me disais, c'est l'habitude n'est-ce pas, et puisque je ne sers plus à rien ici...

Impossible d'ébranler cette conviction profondément inscrite dans sa chair, qu'il est naturel et normal d'être rejeté, comme un outil brisé, du moment qu'on ne « sert plus à rien ». Impossible de lui faire comprendre qu'en l'autorisant à rester là quelques jours, nous ne faisons que lui accorder son droit d'être humain. En insistant, nous lui serions presque désagréables.

C'est là que les paroles deviennent impossibles, que commence la vraie pauvreté, celle qui ne se sent pas lésée, celle qui a si bien imprégné l'être humain qu'il s'identifie à elle, et se fâcherait si on voulait l'en arracher. Marie-Louise a si bien renoncé à l'idée qu'elle puisse avoir des droits! Lui révéler qu'elle en a, qu'elle devrait en avoir, serait cruel. Admirable? Horrible? « C'est terrible, la vie », soupirait Cézanne. Ces remerciements, l'approbation de la concierge : « c'est tellement gentil de votre part », me paraissent plus terribles que bien des injustices spectaculaires. Mme Hélène, la pocharde, s'était, elle aussi, laissé mettre à la porte sans la moindre difficulté, mais parce que, comme Franca, elle « aimait mieux boire ».

D'une certaine façon, Mme Hélène, avec son chapeau de travers, sa bruyante ivresse et son escalier, me fait moins de peine que la grise et laborieuse Marie-Louise; elle a même une certaine célébrité dans le quartier des Batignolles. Son vin, elle y tenait comme Tante à son mauvais caractère, c'était leur façon de nier la vieillesse, la pauvreté, l'injustice. Mme Hélène chantait parfois, et Tante riait. Marie-Louise, jamais.

*
* *

L'Eglise a fait de la pauvreté une vertu, me dis-je. Mais la pauvreté de Marie-Louise, non.

Je me refuse à le croire. Revendiquer son droit légitime à la vie, ce serait faire mentir l'esprit de pauvreté ? Le croire, le faire croire, ce serait fausser l'esprit pour obéir à la lettre.

Et cependant la pauvreté est une vertu. L'Eglise la prêche surtout aux pauvres. C'est odieux. C'est très juste. Il est plus beau de renoncer volontairement à ce qui vous a déjà été enlevé. Le pauvre qui renonce à la richesse qu'il n'a pas, qu'il n'a pas par injustice et par déni de son droit, est un saint. L'Eglise parle pour les saints qui dorment en nous. Elle a raison *et* elle est odieuse. Et nous qui nous servons des mots — notre richesse — pour dire que les mots ne sont rien, nous sommes odieux et nous avons raison.

Et c'est quand nous avions envie de secouer Marie-Louise et de lui dire : « Vous avez des droits! vous êtes injustement traitée, et tant d'autres avec vous », que nous étions chrétiens. Mais parce que nous aurions dû être cruels, être odieux ensuite, pour lui dire : « Et maintenant, cette injustice que nous vous avons révélée, au nom d'un Dieu que vous ne connaissez pas, acceptez-la », parce que cela voulait dire en somme : « Devenez une sainte ou crevez », et parce que nous n'étions ni des inconscients ni des saints, nous ne l'avons pas dit.

L'Eglise le dit pour nous et Dieu sait qu'on l'exploite, cette odieuse, cette injuste façon d'avoir raison. Et cette exploitation, c'est le crachat sur son visage que nous n'avons ni la force ni le droit de partager, parce que nous ne sommes pas des saints.

Affiches

Et parce que nous ne sommes pas des saints, nous croyons qu'il ne doit, qu'il ne devrait pas être toléré de situations telles qu'on ne puisse s'en sortir que par la sainteté. Donc, nous collons des affiches, nous distribuons des tracts, nous allons (parfois) à des réunions politiques.

— Mais toute cette révolte, est-ce que ça s'accorde avec l'esprit de pauvreté, de renoncement? demande Jeanne, amie jeune et jolie qui est encore, mais d'une façon charmante, ce qu'on appelait autrefois une « dévote ». Toujours ce concept de pauvreté. Mais est-ce qu'en fait, puisqu'il y a pauvreté « en esprit » là où le désir d'acquérir, de posséder, n'existe plus, cette pauvreté ne peut pas être atteinte aussi par certaines revendications? Est-ce qu'on ne pourrait pas soutenir que l'abolition de ce désir d'acquisition peut se faire pour la satisfaction des besoins fondamentaux : logement, conditions humaines de travail, et même, possession de voitures, téléviseurs, ou frigidaires? L'important est plutôt dans un plafond, une limitation à ce besoin d'avoir qui masque le besoin d'être. Qui n'a pas connu une de ces personnes comblées par la fortune et qui cherchent désespérément parmi les gadgets que leur propose notre société ce qu'elle pourrait bien désirer? Il est bien évident dans ce cas que cet affolement cache la terreur de ne plus avoir rien à désirer, qui est, dans quelque circonstance où l'on se trouve, la *pauvreté*.

Situation terrible. Arriver au bout de ses désirs matériels, ou même savoir que ces désirs ont une limite, est pour beaucoup le bord de l'abîme, le moment du face à face avec l'être, avec Dieu. Ainsi s'explique le désarroi complet de certains pays où tant bien que mal on a tenté d'instaurer ce *plafond* et qui, par ailleurs, ont un niveau de vie relativement élevé. Je pense à la Suède, par exemple; le suicide dans ces pays est une preuve éclatante de la difficulté d'affronter ce face à face avec l'être auquel aboutit la satisfaction de tous les désirs naturels raisonnables. On ne voit pas ou peu de suicides dans des situations où des conditions matérielles difficiles proposent un but de lutte immédiat et légitime. La misère doit être vaincue. La fausse pauvreté, la psychose de pauvreté créée par la société de consommation (on est pauvre quand on n'a pas de logement décent, de salaire suffisant, on peut encore légitimement se sentir pauvre sans voiture et sans frigidaire, mais la société de consommation arrive à vous faire sentir la pauvreté devant l'absence d'un écran panoramique ou en couleurs, d'un barbecue électrique, d'un jardin de rocailles ou d'une piscine ou d'une baignoire Louis XVI, il n'y a pas de *plafond*) doit être supprimée. Mais supprimer ces conditions difficiles, empêcher que quelque chose s'interpose entre l'homme et sa difficulté d'être, supprimer les alibis, c'est faire œuvre bonne et cruelle à la fois. On n'en sort pas. Car ces satisfactions données, ce *plafond* déterminé, est-ce qu'il ne devrait pas s'ensuivre presque forcément une crise douloureuse dans cette société privée de l'alibi des vrais besoins satisfaits, des faux besoins abolis? Une période de purgation, comme disent les mystiques?

— En somme, par un autre chemin, tu en reviens

au même point. Etre des saints ou ne pas être, dit Jeanne avec quelque ironie.

— Peut-être. Mais je préfère ce chemin-là.

*
* *

L'efficacité

— En somme, Jésus-Christ, il n'a travaillé que deux ou trois ans, dit Alberte.

— Avant, il travaillait comme menuisier, dit Pauline.

Alberte. — On l'a tué presque tout de suite, il n'a pas eu le temps de faire grand-chose.

Pauline. — Il se promenait et disait des belles choses aux gens.

Alberte. — Il aurait pu organiser des maisons où on donne de la soupe comme saint Vincent de Paul.

Vincent (sentencieux). — L'homme ne vit pas seulement de pain.

Moi. — Même si on fait beaucoup de cantines et d'hôpitaux, on ne peut jamais nourrir ou soigner tout le monde.

Alberte. — Alors ce n'est pas la peine?

Moi. — Je ne veux pas dire que ce n'est pas la peine, je veux dire que c'est relatif. Je veux dire qu'on ne peut pas tout arranger définitivement. Que ce qu'on fait reste proportionné à ce que peut l'homme.

Alberte. — Ils n'ont qu'à se mettre ensemble.

Pauline. — Qui?

Alberte. — Tous ceux qui veulent faire des cantines. Est-ce qu'il n'y a pas autant de gens qui veulent faire des cantines que de gens qui ont faim?

Moi. — Peut-être pas. Peut-être aussi qu'ils ne sont pas au même endroit, ou qu'ils ne savent pas comment s'y prendre, ou qu'ils ne sont pas d'accord sur la façon de s'y prendre.

Vincent. — Voilà. Les gens ne sont jamais d'accord.

Alberte. — Il faudrait les forcer.

Moi. — Mais si on se donnait le droit de les forcer à bien faire, on se donnerait le droit de les forcer à mal faire.

Alberte. — Oui, mais si on ne les force pas on n'arrivera jamais à rien.

Vincent. — Toi, tu es un dictateur.

Pauline. — Ça c'est vrai. Elle veut toujours que je joue au jeu qu'elle veut.

Alberte. — Tu serais bien embêtée de jouer toute seule.

Pauline. — Toi aussi!

Alberte. — Je suis plus vieille que toi!

Pauline. — Moi aussi j'aurai dix ans!

Alberte. — Mais j'aurai toujours deux ans de plus que toi.

Pauline éclate en sanglots. « C'est pas juste » et ses sanglots se transforment tout à coup en fou rire :

— Alors, tu seras morte avant moi et je te rattraperai!

Alberte reste bouche bée.

Vincent. — Au fond, ce qui est relatif, c'est qu'on se fatigue pour, disons, soigner, des gens qui mourront de toute façon.

Moi. — C'est ça.

Pauline. — Il faut tout de même les soigner, ça ne serait pas gentil.

Moi. — Bien sûr! Il faut que les gens soient soignés, nourris, bien logés, tout ça pour qu'ils puissent penser à autre chose qu'à la nourriture, au logement, etc.

Alberte. — Oh! toi, tu crois que la vie c'est fait pour réfléchir.

Moi. — Peut-être bien. Et toi?

Pauline. — Pour rigoler!

Moi. — Mais rigoler, c'est la joie, c'est louer la création, c'est dire à Dieu que la vie ce n'est pas si mal... Seulement il ne faut pas oublier que tout le monde ne rigole pas en même temps.

Vincent. — Rigoler, c'est aussi relatif.

Moi. — C'est ça.

Alberte. — Et être chrétien, ça n'est pas relatif?

Moi. — C'est relatif, dans ce que nous essayons de faire. Ce n'est pas relatif dans l'ensemble de... enfin, par rapport à Dieu (je m'embrouille un peu).

Alberte. — Je ne crois pas que les gens qui nous voient aient envie de devenir chrétiens comme nous.

Pauline. — Pourquoi?

Alberte. — On est trop désordre.

Moi. — Mais être chrétien ce n'est pas forcément avoir de l'ordre.

Pauline (avec une conviction totale). — Ah non alors!

Moi (affolée). — Remarque que ça n'empêche pas non plus! Saint Augustin dit : « Aime et fais ce que tu voudras. »

Alberte. — C'est bien commode.

Moi. — Ce n'est pas si commode d'aimer tout le monde.

Alberte (apaisée). — Alors je suis une bonne chrétienne, j'aime tout le monde, même Paulette, la fille, tu sais, qui joue mieux que moi du piano, et Mme R. (son professeur) la préfère.

Vincent. — Maman aussi est une bonne chrétienne. Elle nous aime, et nous faisons ce que *nous* voulons.

*
* *

Soirées poétiques. L'éducation

Ce que nous appelons nos soirées poétiques, assez pompeusement, comporte une partie matérielle importante. Il nous faut des biscuits à l'orange et du pain d'épice, des biscuits au gingembre et des bonbons acidulés, ou encore ces biscuits américains « en forme de doigts » enrobés de chocolat (« le clou de la soirée », dit Pauline), et puis du Coca-Cola ou de l'Evian Cassis, une grosse bougie posée sur un plateau, une soirée calme où tout le monde est détendu, bref, il nous faut beaucoup de choses pour apprécier la poésie. On arrive cependant à réunir toutes ces conditions une fois tous les quinze jours environ. Alors nous nous groupons sur mon lit, immense radeau qui a traversé déjà bien des vicissitudes, et sur lequel on finit toujours par se retrouver.

Parfois, comme au cours de la conversation qui précède, nous abordons quelque grand problème. Parfois, à l'approche des fêtes, nous lisons la Bible; plus souvent, nous lisons nos poètes favoris, avec un grand éclectisme. Daniel, qui possède une belle voix bien timbrée, se spécialise dans Victor Hugo. On n'en perd pas une syllabe.

Jacques préfère un ton plus sarcastique et lit Cendrars. Alberte est une fervente d'Aragon et Vincent lit les poèmes traduits du chinois par Claudel avec une subtilité qui me ravit. Pauline dit : « Les deux plus beaux poèmes, c'est *Booz endormi* et *le Hareng saur* », sélection saugrenue qui lui ressemble.

— Ce qui est curieux, avec l'éducation que tu leur donnes, c'est que tes enfants n'aient pas d'orthographe, dit Jeanne.

En effet, il arrive à Alberte, capable à onze ans d'expliquer fort précisément « Aboli bibelot d'inanité sonore », il lui arrive d'écrire téléphone avec un f. Et Vincent, fertile en jeux de mots raffinés, écrit comme un chat et n'accorde pas ses participes. C'est qu'expliquer Mallarmé à Alberte, qui s'en amuse comme d'un mot croisé, m'amuse aussi, et que je songe bien rarement à lui faire faire les dictées dont elle aurait besoin. C'est que, chantant des ballades, discutant cinéma, appréciant dessins et bricolages, j'oublie si souvent de vérifier leurs cartables et de regarder leurs cahiers...

De là l'obscur remords qui me ronge. « L'éducation que tu donnes à tes enfants. » Jeanne semble tenir pour acquis que Mallarmé et la guitare, le désordre et le catéchisme, les animaux et la poésie, tout cela fait partie d'un plan préétabli qu'elle désapprouve, mais où elle respecte une volonté consciente. Hélas! Est-ce que je donne une éducation à mes enfants? Il serait peut-être temps d'y penser.

Une dame dit un jour devant moi : « C'est à la chaussure qu'on reconnaît un enfant bien tenu. » J'ai rougi.

Saga de Daniel

Quand Daniel naquit, j'avais dix-huit ans. J'achetai une quantité d'objets perfectionnés, baignoire pliante, chauffe-biberons à thermostat, stérilisateur. Je ne sus jamais très bien m'en servir. La baignoire, soit, mais le stérilisateur ! Il ne s'en porta pas plus mal. Je l'emmenais parfois dans les cafés; on l'y regardait avec surprise : ce n'était pas encore la mode. Il fut un bébé précurseur, un bébé hippie avant la lettre. Quand j'allais danser il dormait dans la pièce qui servait de vestiaire, lové au milieu des manteaux. On s'aimait bien, avec une nuance d'étonnement envers le sort capricieux qui nous avait liés l'un à l'autre.

A cinq ans il manifesta un précoce instinct de protection en criant dans le métro, d'une voix suraiguë : « Laissez passer ma maman. » A huit ans, il « faisait ses courses » et « son » dîner tout seul, quand il estimait que je rentrais trop tard le soir. Il me dépassait déjà complètement. A neuf ans, nous eûmes quelques conflits. Il refusa d'aller à l'école, de se laver, et de manger du poisson. Un jour je le plongeai tout habillé dans une baignoire, un autre jour Jacques le porta sur son dos à l'école : il hurla tout le long du chemin. Ces essais éducatifs n'eurent aucun succès. Du reste, il se corrigea tout seul. Nous décidâmes de ne plus intervenir.

A dix ans, au lycée, ayant reçu pour sujet de rédaction : « Un beau souvenir », il écrivit ingénument : « Le plus beau souvenir de ma vie, c'est le mariage de mes parents. »

A quinze ans il eut une période yé-yé. Nous collectionnâmes les 45 tours. A seize ans il manifesta un vif intérêt pour le beau sexe. De jeunes personnes dont j'ignorais toujours jusqu'au prénom s'engouffraient dans sa chambre, drapées dans d'immenses imperméables crasseux, comme des espions de la Série noire.

Il joua de la clarinette. Il but un peu.

A dix-sept ans il fut bouddhiste.

Il joua du tuba. Ses cheveux allongèrent.

A dix-huit ans il passa son bac. Un peu avant, il

avait été couvert de bijoux comme un prince hindou ou un figurant de cinéma, une bague à chaque doigt. J'attendais en silence, ébahie et intéressée comme devant la pousse d'une plante, la mue d'une chenille.

Les bijoux disparurent. Il joua du saxophone, de la guitare. Il fit 4 000 kilomètres en auto-stop, connut les tribus du désert en Mauritanie, vit un éléphant en liberté, voyagea couché à plat ventre sur un wagon, à demi asphyxié par la poussière. Il constata que Dakar ressemble étonnamment à Knokke-le-Zoute (Belgique).

Il revint pratiquement sans chaussures, les siennes ayant fondu à la chaleur du désert, mais doté d'un immense prestige auprès de ses frère et sœurs. Il rasa ses cheveux et fit des Sciences économiques. Voilà la saga de Daniel.

Dans tout cela, où est l'éducation? Si Daniel, qui va atteindre sa majorité cette année, est un bon fils, un beau garçon, doué d'humour et de sérieux, de fantaisie et de bon sens, y suis-je pour quelque chose? Ah, pour rien, pour rien, et pourtant pour quelque chose, une toute petite chose, la seule peut-être que je lui ai donnée, la seule, me dis-je parfois avec orgueil, qu'il était important de lui donner : la confiance.

Ce qui ne veut pas dire que tous les problèmes soient résolus. Daniel vient d'acheter un singe.

*
* *

Dans le train

Je ramène Vincent de l'aérium de Besançon, où il a dû passer six mois.

Une dame veuve, fonctionnaire des Postes, me raconte la peine qu'elle a eue à élever ses enfants. Surtout son fils, instituteur qui a dû se marier « un peu vite » avec une Marseillaise toute jeunette.

— Leur fillette, madame, leur petite Sylvie, que j'adore, eh bien on peut dire que ça a été leur premier meuble. Fille d'un tabac, femme d'un tabac (je mets un moment à comprendre qu'il s'agit d'un gérant de bureau de tabac, j'avais cru à une expression argotique), j'ai pourtant toujours aimé lire, j'ai voulu que mes enfants aient de l'instruction, je les ai poussés. Eh bien, croyez-moi, ils ont des difficultés. Tout de même. Ce qui est terrible, ce n'est pas quand on se sacrifie pour les autres, c'est quand on ne sait plus si cela valait la peine de se sacrifier. Ah! les enfants!

» ... Fille d'un tabac, femme d'un tabac, croyez-moi si vous voulez, je n'avais jamais fumé. Mon mari est mort en 40, j'avais vingt-neuf ans. Seule. Bien sûr, il y avait mes deux enfants, je travaillais avec eux, pour leurs examens, et en travaillant je me disais : ma pauvre, tu travailles à ta solitude. Et voyez si c'était vrai, la fille à Paris, le fils à Lyon, et moi à Besançon. Eh bien (un petit air crâne) je me suis mise à fumer.

» ... Toujours seule, toujours seule. Je ne vais pas me remarier, à mon âge, les hommes, il faut prendre leur pli, ça n'irait plus, j'ai mon pli à cinquante-sept ans. Je me suis mise dans les Postes. Les lettres, c'est des idées, c'est vivant. »

Elle a un joli geste des mains, comme si ces lettres étaient une bande d'oiseaux voltigeant autour de sa tête. Elle parle bien cette dame. Que lit-elle? Un regard : les *Mémoires* du cardinal de Retz.

— Il revient d'aérium, votre petit garçon? J'espère qu'il est bien guéri. Ah! évidemment, ceux qui sont malades, on les garde...

*
**

Bébés

Dolores a Juanito qu'elle adore et ne peut, nerveusement, supporter. Elle le confie à ses parents, le reprend, le renvoie. Conchita a Manolo qu'elle nourrit de petits-beurre et d'eau, qui tombe malade, va à l'hôpital, revient, retombe malade et repart. Anita a une petite Sara de trois mois, qu'elle expédie en Espagne avec une Espagnole qu'elle connaît à peine, et qui la lui gardera contre une hypothétique pension. Juanito est vigoureux, Manolo intelligent et tendre, Sara ravissante. Tous trois sont beaux d'ailleurs. Enfances sacrifiées. On aurait tendance à juger ces mères. Mais Dolores, arrivée toute confiante et ignorante à Paris, a été abandonnée après cinq ans de liaison, l'enfant à peine né. Depuis, dit-elle avec dépit, « j'ai le ventre bloqué ». Conchita qui ne sait ni lire ni compter dit fièrement : « Personne ne sait lire dans ma famille », et ne veut pas se séparer de cet enfant qu'elle nourrit si mal. Anita a donné toutes ses économies à un maître d'hôtel de Neuilly (ce qui, pour une femme de ménage du Ve arrondissement, même jolie, représente quelque chose comme le Prince charmant) et lui, « joueur » a tout perdu. Leur histoire ressemble à un photo-roman un peu noir. Aussi ne désespèrent-elles pas qu'elle ne finisse par y ressembler tout à fait. L'amant de Dolores reviendrait l'épouser et la combler, repentant. Conchita ferait un héritage et vêtirait de soie son Manolo (qui pourtant, je le soupçonne, continuerait dans le meilleur des cas à être alimenté de petits-beurre). Anita reprendrait sa fille avec des larmes de joie, lui ayant trouvé dans les bals, grâce à sa mini-jupe, un père riche et puissant.

Elles rêvent selon les canons du photo-roman. Elles se rêvent bonnes mères, toutes trois, mais aussi riches, adorées, pourvues de voitures, de villas sur la Côte, de bijoux. Leur rêve de maternité leur paraît aussi irréalisable que leur rêve de luxe. Elles courent les bals, Lo oubliant d'envoyer la pension de Juanito, Conchita laissant seul Manolo déjà — à trois ans — à demi tuberculeux, Anita oubliant même que Sara existe.

Et elles se considèrent comme des victimes. Lo, de la société qui ne lui a pas permis de se cultiver assez pour devenir vendeuse ou secrétaire. Anita, de l'amour, abandonnée par son maître d'hôtel et délestée de ses économies. Mais Conchita, malpropre, ignorante, grugée, malhonnête, analphabète, et qui fabrique à un enfant intelligent et beau le même destin incohérent, ne se sent pas victime du tout. C'est elle peut-être dont j'ai le plus pitié. On pourrait dire, bien sûr, que Lo travaille trois heures par jour, se lève tard, passe tout son temps dans les bars et aux terrasses des cafés où je la vois se prélasser quand je reviens de la bibliothèque ou de la Sécurité sociale. Et que le peu de travail qu'elle fait, elle le fait mal. Elle oublie tout ce que je lui demande, nous nourrit de boîtes de conserve, et ce printemps j'ai dû lui répéter onze fois d'aller chez le vitrier faire remplacer une vitre cassée. Elle me demande de lui chercher des heures de ménage et quand je les lui trouve elle n'y va pas, ou se querelle avec sa patronne d'occasion qui lui aurait parlé d'un certain ton ou « fait sentir » qu'elle n'était qu'une femme de ménage. Qu'elle n'a ni soin, ni persévérance, ni patience. On pourrait dire cela. Et que Conchita est carrément malhonnête, malpropre, mythomane. Et qu'Anita qui ne voit que des souteneurs, des danseurs mondains, des barmans sans emploi, et méprise l'ouvrier espagnol laborieux et qui sent l'oignon, peut difficilement espérer rencontrer parmi ces gens-là l'homme doué de toutes les vertus qui les comblerait, elle et sa fillette.

On pourrait dire cela. Et puis un mot, un geste, détruisent ce qu'on pourrait dire. Anita cachait sa grossesse à sa patronne de l'instant, parce que, déjà enceinte au moment de l'engagement, cette patronne avait le droit de ne pas la garder. « Elle me mettrait à la porte, c'est son droit », disait-elle du même ton que la pauvre Marie-Louise de Tante. C'était naturel, c'était la loi du monde, comme le vol de ses économies et l'abandon. Au fond, le photo-roman elles n'y croyaient ni pour elles, ni pour leurs enfants, condamnées d'avance, alors pourquoi faire un effort, une tentative que d'avance elles savaient vaine, pour s'en sortir?

Lo s'en allant faire deux heures de ménage qui lui rapporteront mille anciens francs, prend un taxi qui lui en coûtera cinq cents.

— Voyons, Lo, mais tu dépenses là une heure de travail!

— Pour ce qu'il vaut, mon travail!

Elle qui répugne à se lever et ferait, si je n'y prenais garde, arriver régulièrement en retard à l'école mes deux filles, se lève à six heures pendant des semaines pour aller aider un petit vieux de la rue de Buci, concierge marocain, à distribuer son courrier.

— Mais pourquoi est-ce qu'il ne le distribue pas lui-même, Lo?

— Il ne sait pas lire.

— Il ne sait pas lire, le concierge?

— Non, quand on l'a engagé on ne lui a pas

demandé, alors il ne l'a pas dit, et maintenant il est embêté.

— Je comprends bien.

— Et les locataires sont embêtés aussi, ils ont toujours leur courrier avec tant de retard, alors je leur distribue un peu jusqu'à ce qu'ils soient calmés.

— Et il ne pourrait pas faire autre chose, ce petit vieux marocain?

— Oh non!

— Pourquoi?

— Parce qu'il est toujours soûl!

— Et pourquoi est-ce qu'il est toujours soûl, Dolores?

Croyant sentir quelque réticence dans le ton, Lo se rebiffe :

— Il en a bien le droit, vous savez! Il a perdu deux fils dans la résistance — elle veut dire le F.L.N. — et une fille d'une fausse couche, alors! Je sais que Dolores considère les fausses couches comme des campagnes militaires de la femme, sa lutte (méritoire) contre la nature et le sort injuste. Mais je suis portée à la discussion ce jour-là.

— Mais il y a des gens, tu sais, qui perdent leurs enfants et qui ne se mettent pas à boire pour cela.

— Oh! je sais qu'il y a des gens qui n'ont pas de sensibilité, dit Lo.

— Pourquoi est-ce que je serais honnête? fait Conchita confondue par sa patronne dans une histoire de combinaison volée. Est-ce que vous me paieriez plus pour cela?

Congédiée, elle se plaint à Dolores.

— Elle ne m'aimait pas cette femme.

Moi, présente par hasard :

— Si vous lui preniez ses combinaisons...

— Et si je lui avais pas prises, elle m'aurait

aimée peut-être? crie Conchita tout à coup, son visage fade et mou transformé par une sorte de désespoir farouche. Non, Conchita, sûrement pas. Moi-même, est-ce que j'aime Conchita? Je voudrais, oui, je voudrais; si on pouvait aimer chaque être uniquement, on le sauverait peut-être. Sans doute. Mais je puis seulement avoir pitié, une terrible pitié inutile.

Nous avons pris Manolo, son fils, en pension à la campagne, pour les vacances. Nous le bourrons de jus d'orange, de viande hachée, et nous avons la joie, Lo et moi, de le voir devenir moins pâle, plus vif, presque gai. Au moment de le rendre à sa mère qui, toute déficiente qu'elle soit, le réclame avec passion, Lo le regarde avec un vrai désespoir :

— Vous savez ce qu'on a fait? On lui a donné des forces pour souffrir, voilà tout

Je n'ose pas lui répondre.

J'aime Lo, pourtant, et beaucoup, mais je n'ai pu la tirer de ce désespoir. Fondamental, originel. Si je lui reproche son incurie, ses crises d'alcoolisme, ses abus de toutes sortes (elle se fait avorter un samedi et le dimanche soir elle sort et danse toute la nuit pour reprendre son travail sans s'être couchée) elle dit :

— Ma mère a eu six enfants et n'est jamais arrivée une minute en retard aux bureaux qu'elle nettoie. Et qu'est-ce qu'elle a de plus que moi, je vous le demande? Quoi? Quoi?

Est-ce qu'un chrétien meilleur que moi lui répondrait : « Elle est plus heureuse » ou « Elle a une bonne conscience »? Je me tais. Mes amis trouvent Lo très pittoresque. La bohème, n'est-ce pas... Mais Lo et moi nous savons. Ce silence qu'il y a entre nous, nous lie.

Silences

Il me fait sentir que je n'ai pas résolu mon problème, le problème. Désarmée devant Lo, devant une certaine forme de désespoir. Aime et fais ce que tu voudras. Mais est-ce que l'amour suffit? Est-ce que l'amour compense? Est-ce que l'amour de Dieu n'est pas aussi un photo-roman qui m'évite de regarder dans le gouffre?

Un ami me disait :

— J'aimerais mieux adopter un enfant que d'en avoir un. Au moins, le mal est fait.

Tout est là. Réparer, arranger, lutter contre l'injustice du monde est une chose. Prendre sur soi de créer la vie, et donc cette injustice aussi, en est une autre, et située sur un tout autre plan. C'est toujours le pari, mais le faire pour un autre, le faire pour l'enfant qu'on a nourri de soi, c'est vraiment brûler ses vaisseaux, et la maternité débouche toujours sur le surnaturel. Peut-être parce que je ressens très profondément la joie simple et physique de la maternité, j'en éprouve davantage le risque. Cette joie, est-ce que je ne me la donne pas à leurs dépens?

Dans le pré du Gué-de-la-Chaîne, Vincent, sept ans, est piqué par une guêpe. Il sanglote :

— Mais pourquoi elle m'a fait ça? Je lui avais rien fait moi!

Jusqu'au soir, cet enfant qui n'est pas douillet va être repris de temps à autre d'une crise de larmes. « Pourquoi? » Je répétais patiemment : « Ce n'est qu'une bête, elle a eu peur voilà tout. Elle n'a pas compris que tu ne lui voulais pas de mal. » Et pourtant ce visage navré, ces yeux pleins d'une surprise douloureuse, je sens bien qu'ils vont beaucoup plus loin que la piqûre de guêpe. « Pourquoi, demande mon doux Vincent, est-ce que le monde n'est pas amour et harmonie? » et il me le demande à moi, responsable de l'y avoir introduit, dans ce monde. C'est la première fois, ce ne sera pas la dernière. Devant un camarade agressif, un professeur injuste, un drame vu à la télévision, c'est vers moi qu'il se tournera toujours. Pourquoi? A travers les mots, sent-il mon silence? Je ne sais pas, petit enfant, pas encore.

Devant le même incident, Alberte révoltée eût piétiné la guêpe, Pauline eût oublié aussitôt la piqûre, mais Daniel ne m'aurait pas demandé pourquoi. Il ne me l'a jamais demandé. D'instinct il savait, cet enfant de mon adolescence désarmée, que chacun doit trouver ses propres réponses. Moins fils que compagnon, il a grandi en même temps que mon esprit. Le silence est la chose que nous aurons le mieux partagée.

***

— Qu'est-ce que c'est, demande Alberte, une fausse couche?

— C'est quand on attend un bébé et qu'on le perd avant qu'il soit assez fort pour vivre.

— Mais des fois c'est exprès?

— Oui, parfois c'est exprès. Qui est-ce qui t'a dit ça?

— C'est Lo qui a dit à Anita; « Concha elle s'est encore fait faire une fausse couche. » Et pourquoi elle a fait ça?

— Je pense que c'est parce qu'elle est malheureuse et qu'elle n'aura pas voulu que son bébé soit malheureux comme elle...

— Alors elle l'a tué, c'est une criminelle, conclut Alberte avec satisfaction.

Saine, elle est naturellement féroce et prête à admettre que le monde le soit.

— On pourrait dire cela si elle l'avait fait pour mal faire. Mais je pense qu'elle ne s'est pas rendu compte que le bébé avait peut-être quand même des chances d'être heureux, ou utile à quelque chose...

— Toi, tu étais sûre qu'on serait heureux, nous, n'est-ce pas, maman?

— Sûre... on ne peut jamais être sûre, tu sais.

— Mais on *est* heureux!

— Vous ne le serez peut-être pas toujours. J'espère que oui, mais je ne peux pas être sûre.

— Tu seras triste si on est malheureux?

— Très.

— Peut-être tu te diras : ça serait mieux, si j'avais fait une fausse couche.

— Je ne crois pas. Ça pourrait m'arriver si j'avais un moment de désespoir, mais ce serait un péché. La souffrance peut nous enrichir, nous apprendre des choses, nous pouvons l'offrir à Dieu, la transformer en joie.

— Oui... mais il vaut quand même mieux être heureux.

— Je crois que si on est vraiment saint, c'est un peu la même chose. Ou tu es en Dieu, heureux ou malheureux, et tout est bien. Ou tu n'y es pas...

— Oui. Mais ça ne fait pas plaisir à Dieu si on est malheureux, n'est-ce pas? Ça ne peut pas lui faire plaisir?

— Sûrement pas. Et pourtant il y a beaucoup de gens malheureux.

— Peut-être qu'il se dit quand il voit ça, Dieu : « Dommage que je n'aie pas fait une fausse couche. »

*
* *

Ce qui nous ramène à l'éducation

On me dira que mes enfants sont très mal élevés. A treize ans je croyais que les enfants venaient par le nombril et je portais des chaussettes blanches le dimanche. Je ne crois pas que le fait qu'à dix ans, Alberte sache ce que c'est qu'une fausse couche, et qu'on peut très bien « avoir un bébé sans être mariée », lui nuise vraiment. Ce qui est difficile, c'est de lui donner le sens d'un certain idéal sans la cloisonner, c'est de lui apprendre à ne pas juger sans lui faire perdre le sens des valeurs.

— Tu as divorcé, n'est-ce pas maman? dit Pauline.

— Oui.

— Et c'est mal?

— Ce n'est pas l'idéal.

— Et c'était ta faute?

— C'est toujours un peu notre faute, quand nous ne nous entendons pas avec les autres.

— Mais tu n'étais pas mariée à l'église alors, ça ne compte pas, dit vivement Alberte qui ne saurait admettre que j'aie jamais eu tort.

— Ça ne compte pas du point de vue de l'Eglise, comme mariage, mais ça compte quand même, comme péché.

— Oh! dit Alberte désolée.

— Tu crois peut-être que maman n'a jamais fait de péché? Elle est comme nous, maman, dit Pauline que cette idée paraît plutôt réjouir.

— Je ne suis pas une sainte, tu sais, dis-je à Alberte.

— C'est dommage, dit-elle si tendrement.

Elle, si dure, est au fond la plus vraiment tendre. Je ne regrette pas que ces questions soient discutées entre nous au moment où elle a encore sur ces problèmes la simplicité lumineuse de l'enfance.

Mais que deviens-je quand j'apprends que Pauline clame partout, et jusqu'à son catéchisme :

— Ta maman ne s'est mariée qu'une fois, et la mienne elle s'est mariée trois fois! Et elle aurait pu se marier dix fois si elle *aurait* voulu!...

Pauline

Pauline est notre enfant terrible. Bébé, elle fut un ange de douceur et de gaieté. Dormant dans notre chambre, jamais elle ne cria la nuit, ne réclama son biberon avant 7 heures du matin. et en dormant, encore elle riait.

Mais dès qu'elle eut quatre ans, nous nous aperçûmes que cette humeur sociable avait son revers. Pauline prétendait mener une vie indépendante. A cinq ans elle dînait en ville.

— Tu m'invites à dîner, dis? Quand? disait-elle aux voisins avec son sourire radieux, ses yeux d'étoiles. Et elle y allait. Elle se fiança deux fois entre cinq et six ans. Son fiancé préféré habitait la cour de notre immeuble. Dès l'aube, sous sa fenêtre, il lui envoyait des baisers, auxquels elle répondait par des cris joyeux d'oiseau.

Elle inaugura un système de migration, couchant

chez l'un, chez l'autre, heureuse partout. Un été, nous la confiâmes à la famille de Dolores, braves gens habitant les faubourgs de Madrid et ne parlant pas un mot de français. Quand Jacques alla la chercher six semaines après, Pauline menait une joyeuse bande de gamins espagnols, courait pieds nus et ne disait plus un mot de français. Mais elle jurait fort proprement en espagnol.

— C'est toujours Pauline, Pauline, dit Alberte un jour d'amertume. Moi, je suis plus sage et je travaille plus. Qu'est-ce qu'elle a de plus que moi, Pauline?

C'est vrai. Alberte est sombre et passionnée, intelligente et sensible, travailleuse et secrète, loyale enfin. Mais Pauline... Pauline est la joie, et c'est tout, et c'est assez. Dolores affectionne sa compagnie. Elle l'emmène dans les bars, la gave d'olives, de chips, de grenadine.

— Tu crois que ce n'est pas mauvais pour les enfants de les traîner comme ça dans les cafés? Ça lui coupe l'appétit, et puis ce qu'elle peut entendre...

— Oh! pourquoi, n'ayez pas peur. Mes amis sont très convenables, dit Lo. D'ailleurs s'il y avait quelqu'un qui voulait raconter des cochonneries, je lui casserais la figure tout de suite.

— Oh! Oui! J'aimerais bien, dit Pauline.

Elle a fait ainsi la connaissance de divers Nord-Africains, marchands des quatre-saisons, vendeurs de beignets, maçons. Ali lui dit :

— Comment tu t'appelles?

— Pauline.

— C'est joli ça, Pouline. Ça veut dire Petit Cheval?

Il suppose que c'est le féminin de poulain, je pense. L'idée séduit ma fille.

— Oui.

— Alors tu vas me choisir mes numéros au tiercé. Cinq ou sept?

— Sept.

— Vingt-deux ou seize?

— Vingt-deux.

— Diamant ou Raglan III.

— Diamant.

Ali prend note religieusement. Il gagnera. Le dimanche suivant, ils sont quatre à consulter l'oracle.

— Oui, dit Pauline mais si vous gagnez, vous me donnerez quelque chose.

Marché conclu. La semaine d'après, Pauline fait les cafés de Mouffetard :

— Tu as gagné, Ali? Tu as gagné, Béchir?

Et fait sa collecte.

Quand nous déménageons :

— Je vais en avoir du mal à me refaire une clientèle! soupire-t-elle.

Vincent suggère une annonce :

« Porte-bonheur cherche petit emploi. »

*
* *

Lo est brouillée avec l'un des compagnons éphémères de sa vie, Mohammed. Elle fait sa tête de madone intraitable. Pauline est encline à la mansuétude.

— Il faut lui pardonner, Dolores! Ne juge pas et tu ne seras pas jugée! Qu'est-ce qu'il a fait?

— Il m'emmène au bal et puis il danse cinq fois avec Cristina, cette andouille!

Le soir même, mélancolique, elle emmène Pauline prendre une grenadine à une terrasse de la rue de Buci. Horreur! Mohammed s'y trouve devant un Pernod. Dolores affecte un grand dédain,

Mohammed regarde ailleurs. Pauline va prendre l'affaire en main. Elle va à lui.

— Mohammed, paie-moi une olive! Dolores est triste, tu sais.

Muet, Mohammed lui tend une olive, jette un regard vers Lo, se replonge dans son Pernod. Pauline continue son va-et-vient.

— Regarde, Lo, Mohammed m'a donné une olive. Il est triste, tu sais.

— Je ne le connais plus, dit Lo, comédienne.

Pauline repart :

— Mohammed, paie-moi des chips. Elle voudrait bien que tu lui parles, Lo, tu sais.

— Elle n'a qu'à me parler la première, dit Mohammed.

Mais une certaine irrésolution se marque sur ses traits. Pauline repart.

— Mohammed va me payer des chips. Mais il faut attendre un peu qu'ils arrivent. Tu en veux, Lo?

— Je n'accepte rien d'un mal élevé comme lui, dit Lo.

Mohammed se rapproche.

— Voilà tes chips, Pauline.

— Tu n'en donnes pas à la dame? demande Pauline.

Lo daigne sourire. Mohammed aussi. Alors Pauline, dans un grand élan :

— Oh! réconciliez-vous! Je vous en prie! — et devant une dernière hésitation — Cristina, ça n'est qu'une poufiasse!

*
* *

Pauline est restée longtemps toute petite, avec de bonnes joues roses, alors qu'Alberte grandissait comme une asperge et rejoignait Vincent son aîné. Depuis quelques mois, elle a un peu pâli, s'est étirée, et hier, à propos de je ne sais quoi, a dit :

— Il ne faut pas dire ça, c'est un gros mot!

Alberte m'a regardée, avec une nuance de regret comique :

— Même Pauline deviendra une grande personne, maman!

Je l'aime d'avoir senti que c'était un peu triste.

On ne peut pas leur cacher que j'ai, comme dit Pauline, « trouvé trois fois à me marier ». On ne peut leur cacher que Dolores a eu « un bébé sans être mariée ». On ne peut leur cacher que Jean et Clotilde vivent ensemble sans être mariés. Que les clochards qui hantent le quartier sont toujours ivres et dorment sur les bancs de la place Furstenberg. Que Sara, une amie, est souvent, vers le soir, « un peu bizarre ». Que Michel est venu nous voir, en cinq ans, avec trois femmes différentes. Que plusieurs de leurs petits amis ont changé de papa une ou plusieurs fois.

On me dira : « Quel milieu! » Dois-je les mettre en pension? Peintre, Jacques voit des peintres. Puis-je les réduire au silence? Et le pourrais-je, ne ferais-je pas régner une atmosphère de gêne qui les troublerait plus que la liberté des propos qui s'échangent? Chaque milieu a ses inconvénients. Il y a Lo, évidemment. Du moins est-elle parfaitement bonne et honnête. Cathie était moins mal embouchée, et si charmante, avec sa flûte! Est-ce ma faute si un ami de la maison s'est épris de Louisette, l'a séduite, et s'ils filent le parfait amour dans le Xe arrondissement, « sans maire, sans noce et sans témoins » comme dans Aristide Bruant? Est-ce même si grave? Ce qui est grave, c'est cette difficulté de leur montrer que l'idéal chrétien est autre chose, c'est, en somme, de ne pas les emprisonner dans la morale d'une société, mais de leur apprendre à la dépasser par le haut.

Et à dépasser le pittoresque : c'est une notion tellement commode. Lo et son flamenco hurlé dans la cuisine, les chaparderies de pie voleuse de Conchita, les amours d'Anita, Nicolas et ses provocations ingénues, Mme Josette dans sa tour, le sionisme de Luc, les gilets de Jean, le saxophone de Daniel, les gros mots de Pauline, le désordre, le chien, tout cela est pittoresque. La maison de papier est un peu une arche de Noé, avec ses animaux plaisants et déplaisants. Notre seule vertu est peut-être de tous les accueillir. Mais Juanito, Manolo, et Lia, mais Lo au petit matin, le mégot au coin des lèvres, soupirant « encore une journée », mais Tante agonisant dans la chambre qu'elle n'a pas voulu quitter, ce corps plein de plaies profondes, aux doigts de pied emmêlés comme des racines (ces pieds devenus objets), ce lit parsemé de vieilles lettres (celles de 1914, celles de 1960, mêlées), de morceaux de pain, de biscuits desséchés, de peaux d'orange (« Non, ne touchez à rien, je le défends, je suis chez moi ! »), et lui dire alors qu'elle gémit : « Attendre la mort ainsi sans servir à rien », que la souffrance sert à quelque chose, et dire à Lo que la vie sert à quelque chose, et penser pour Juanito, pour Manolo, pour Lia, que cette condamnation qui pèse déjà sur leurs quatre ans, leurs trois ans, leurs six mois, se justifie, ça n'est plus pittoresque. Est-ce même possible?

Essayer une fois, deux fois, dix fois, de trouver un travail pour Nicolas, sans pouvoir, non pas l'aider, notre espoir ne va pas si loin, mais atténuer un peu cette hargne et cette amertume; cette inefficacité, si totale, se dire qu'elle n'a pas d'importance. Cet écrasement de tant et tant d'êtres dans des situations closes, irrémédiablement closes, l'accepter, et non pour soi, ce qui serait encore possible, mais pour les autres, cette question brutale, cette dureté inconcevable de la foi, je la reçois en pleine figure tous les jours, et je ne peux pas toujours lui dire « oui ». Aux « pourquoi » des enfants le pittoresque n'est pas une réponse. Il faut aller au-delà et pour y aller, il faut un courage que je n'ai pas toujours.

Devant la télévision et ses images de guerre, devant ce clochard qui ronfle sur la bouche de métro, devant l'agonie de Tante, devant la prison mentale de Nicolas, devant le malheur de Lo, de Marie-Louise, incrustées comme des huîtres dans l'injustice du monde, est-ce que je peux leur dire « oui, cela se justifie, cela se compense, cela est bon » ? Ce serait cela pourtant, si j'avais toujours assez de foi et de dureté, de force et de joie pour le dire, ce *serait* cela une véritable éducation chrétienne.

***

Nous passons, Vincent et moi, devant les magasins du Louvre; sur la façade, une banderole annonce : « Grande exposition vietnamienne. »

Vincent. — Est-ce qu'il y a les bombes, maman?

Contestation? Je le regarde à la dérobée. Il ne semble pas.

***

Et une fois que j'aurai dit « oui » de toutes mes forces, oui, cela est juste, cela est terrible, mais bon, le monde, la création seront un jour justifiés et rachetés, alors viendra l'autre question, celle qui malgré la foi et la joie fait de nous, si nous sommes authentiquement des chrétiens, des crucifiés : est-ce qu'en leur disant cela je ne leur apprends pas, devant le malheur du monde, à se croiser les bras?

*
* *

Mai

— Dolores, tu n'as pas balayé sous les lits.

— C'est la grève, Françoise! Je ne suis pas une jaune!

*
* *

Un petit garçon à un autre :

— Mon papa, il est plus savant que le tien. Il sait le grec, mon papa.

— Le mien il a une plus grosse voiture.

— Oui, mais les voitures, ça brûle.

Après mai 68, même les petits garçons ont appris que les voitures, ça brûle. Faux progrès. La consommation est une grosse baudruche, vite crevée. La culture (une certaine forme de culture) est moins vulnérable. L'orgueil du parvenu fait rire. L'orgueil de l'érudit, du technicien, de celui qui parle bien, qui trouve ses mots, qui connaît les manières, les formules, est plus insidieux. *Ça* ne brûle pas.

Sainte Thérèse de Lisieux disait : « Mon Dieu, je choisis tout ce que vous voulez. »

Mais encore faut-il être capable de *choisir*. Et cela nécessite déjà tout un *capital* d'attention, de réflexion.

*
**

Alberte note ses impressions sur les barricades : « A l'école on m'a dit que les étudiants sont des méchants, qui font cela pour faire peur aux braves gens. Mes parents ne sont pas de cet avis. Je suis sûre qu'ils sont de bonne foi, mais ont-ils raison ? »

Cette phrase, qui fait rire un ami, me plaît par son mélange de confiance et de circonspection. Elle récompense en quelque sorte mes efforts pour former le caractère de mes enfants, sans influencer leur jugement.

Matthieu dit :

— C'est un peu hypocrite, je trouve. Tu dis : voilà ce que j'en pense et maintenant faites ce que vous voulez. Mais dans la mesure où ils t'aiment et t'admirent, tu les influences d'autant plus.

— D'abord, je ne leur dis pas : faites ce que vous voulez. Je leur dis : voilà ce que je pense et comment vous devez agir tant que vous êtes petits. Quand vous serez grands, vous vous ferez votre idée de la vie et il faudra essayer de vivre selon ce que vous aurez, en toute bonne foi, jugé bon.

— Mais tu ne peux pas être *sûre* que ta façon de penser soit la bonne. Tu risques de les déformer, de...

— On déforme toujours. C'est même effrayant à quel point le moindre de nos gestes retentit sur nos enfants, les imprègne, les marque. On ne peut pas être sûre de bien faire tout le temps. Ce qui m'étonne toujours, c'est que les gens qui se lancent avec tant de témérité et si peu de garanties dans l'amour, le mariage, la procréation, la politique et le travail, en demandent tant à Dieu.

— De toute façon, cette éducation religieuse laisse une empreinte.

Oui, là certainement, je m'engage. Il faut que je croie fermement l'apport plus important que la déformation possible. Ma mère m'écrivit un jour une lettre très émouvante qui m'expliquait les raisons pour lesquelles elle et mon père n'avaient pas jugé bon de nous faire baptiser, ma sœur et moi. Aussi curieux que cela paraisse, cette éducation « libérale » m'aida dans mon évolution. Ils nous avaient élevées dans leur vérité, et laissées libres de choisir la nôtre. Que faire de plus? Pour ma part, je juge cette éducation préférable à bien des éducations chrétiennes sans suc et sans joie, où les mots démentent sans cesse les gestes, et où la liberté brimée amène les refus passionnés de la seizième année. Bien sûr, une éducation chrétienne *et* libre serait mon idéal. Mais quel équilibre délicat! La petite phrase d'Alberte me donne l'espoir d'avoir réussi parfois à l'atteindre un moment. Savoir comment?

On sait si peu ce qui compte dans une éducation! Je crois qu'une certaine fantaisie, un comportement plein d'indépendance vis-à-vis de certaines valeurs conventionnelles, souvent observé chez mes parents, m'apporta plus que ne l'auraient fait de grandes considérations sur le caractère superficiel de ces valeurs. Tel, par exemple :

Papa sur la Côte d'Azur

Mon père, en vacances, m'offre le luxe d'une baignade dans un établissement visiblement réservé à l'élite. Cabines de bain en céramique, appareil à massage, parasols, cocktails servis sur la plage. Papa se retire pour se déshabiller. Il reparaît, et serait fort correct dans son maillot de nylon, de coupe étudiée, si la fantaisie ne l'avait pris de garder chaussures et fixe-chaussettes. Une indignation naît et grandit derrière les lunettes solaires, qui se mue en stupeur à mesure que papa, olympien, inspecte les planches, à la recherche d'un matelas qui lui convienne vraiment, et sa royale indifférence finit par vaincre et susciter l'admiration. On croyait voir un clochard, un péquenot, mais, devant une telle assurance, le doute n'est plus permis : c'est Onassis. Le garçon s'avance tout sourire. Moi j'admire, comme quand j'avais cinq ans, mon père qui, d'une voix de stentor, commande une limonade.

Ou :

Maman qui prend un taxi

Maman, frêle, blonde, toute suavité, ployant sous le poids de ses multiples bagages, et suivie de ma sœur, arrive d'Anvers par la gare du Nord. Les taxis sont rares. Les clients nombreux. Devant maman, une dame prend le seul taxi restant. L'horizon est vide. Maman, avec une douce fermeté :

— Madame, où allez-vous?

La dame, momentanément subjuguée :

— Avenue Mozart. Mais...

Maman :

— Ça me convient très bien. Monte devant, Miquette (ma sœur). Nous allons prendre ce taxi avec vous jusqu'à l'avenue Mozart, et ensuite, nous le garderons.

La dame, déjà installée :

— Mais pas du tout, je m'y oppose!

Peine perdue, ma sœur est déjà à côté du chauffeur (rougissante, mais soutenue par l'esprit de famille) et les bagages s'empilent autour de la dame. Maman s'embarque. Le chauffeur, goguenard, ne prend pas parti. La dame :

— Mais je ne suis pas d'accord! Mais je vous ordonne de descendre! Ça c'est un peu fort par exemple! Mais...

Maman, toujours suave :

— Chauffeur, avenue Mozart.

Le chauffeur démarre. La dame se met à crier. Maman raconte :

— Eh bien, crois-tu Françoise, qu'elle a crié *tout le temps,* de la gare du Nord à l'avenue Mozart? On aurait cru un enlèvement. Il y a des gens violents, quand même!

Papa est un conteur. Maman, un écrivain. Leur comique se manifeste de façon différente. Celui de mon père naît de l'événement, des circonstances extérieures. Celui de maman d'une intériorisation telle qu'elle détonne de façon brusque dans le cours normal des choses, dont elle ne tient jamais aucun compte. Elle n'est pas dépourvue de sens pratique; elle déploie même une grande ingéniosité pour parer à des événements, qui se trouvent seulement être imaginaires. Ainsi, impressionnée par le récit de certains incendies dans les grands magasins, décida-t-elle de ne plus s'y rendre que munie d'une torche électrique (« la première chose qu'on fait dans ces cas-là tu comprends, c'est de couper l'électricité ») et d'une corde à nœuds en nylon d'une longueur de vingt-cinq mètres. (« Ainsi, tu vois, je fixe ma corde à nœuds, et je descends, c'est tout simple ».) J'admire tant de vitalité chez une dame qui, toute souple qu'elle soit, marche allégrement sur ses soixante-dix ans.

— Mais tu ne peux pas emmener cette corde partout, à un cocktail par exemple, et c'est justement ce jour-là qu'il y aura un incendie, s'il doit y en avoir un !

— Comme tu es fataliste, Françoise ! J'augmente mes chances, voilà tout. C'est de la statistique.

Maman rencontre un ami sur le boulevard Saint-Germain.

— Vous avez l'air bien en forme.

— Oui, dit maman, je viens de passer une nuit extraordinaire avec Confucius.

— Avec qui ?

Maman est déjà repartie, de son joli pas de jeune fille.

En Suisse avec papa, dans un hôtel ultramoderne, où les portes de verre s'ouvrent et se ferment automatiquement (coinçant régulièrement de malheureux hindous), les bagages, arrivant par un ingénieux système de glissière aux touristes en instance de départ, se trouvent régulièrement coincés, égarés, retardés. Papa observe le système avec ironie. Après avoir attendu nos valises pendant trente-cinq minutes, au majordome galonné qui dédaigne nos réclamations :

— Eh bien, en Suisse, vous avez peut-être les meilleures montres du monde, mais le moins qu'on puisse dire est qu'elles retardent !

Le majordome nous foudroie du regard, mais les petits valets italiens, moins intimement liés à la cause du progrès, éclatent de rire. Nous partons vengés.

Dans une discussion avec un monsieur très officiel qui se vante un peu haut et un peu souvent d'avoir fait la Résistance :

— Moi aussi, dit papa, je l'ai faite. Mais en amateur, pas en professionnel.

Des parents dont on peut à la fois rire et être fiers, est-ce que ce n'est pas déjà toute une éducation ?

Ma grand-mère peignait des fleurs. Sans talent exceptionnel, mais avec ardeur. A plus de soixante ans, elle arriva un matin chez mes parents, en proie à une vive excitation.

— Mes enfants, j'ai découvert un peintre extraordinaire ! Je suis bouleversée ! J'ai vu *les Tournesols* de Van Gogh ! *Je change ma manière !*

Voilà une anecdote qui me paraît, au sens plein du mot, édifiante.

A la fin de sa vie, condamnée par les médecins à rester au lit, elle trompait son infirmière, se levait avant l'aube, s'emparant avec mille précautions de son petit attirail de peinture, et s'en allait, vite, comme on prend un plaisir défendu, esquisser encore un paysage. Que cette anecdote ne s'applique pas à un peintre de génie, mais à une femme modeste, dépourvue de toute ambition, et qui aimait la beauté à sa façon naïve et sans apprêts, la rend-elle moins édifiante ? Pour moi, elle l'est peut-être plus.

***

Jeunes filles

Daniel amène parfois des jeunes filles à la maison. Elles font de la musique, dînent, regardent la télévision avec nous, puis leurs visites s'espacent, elles disparaissent. Nous les regrettons. Sur la première apparition nous échafaudons toujours un roman. Où l'a-t-il rencontrée? Joue-t-elle d'un instrument? Chante-t-elle? Aime-t-elle les enfants? Devant une chevelure blonde un instant entrevue dans l'entrebâillement d'une porte, Pauline s'écrie: « Est-ce que tu es enfin fiancé, Daniel? »

Daniel trouve qu'un si cordial accueil a du bon et du mauvais. C'est que si nous le suivons avec ardeur dans ses emballements, nous nous déprenons moins vite. Nous pleurâmes deux Michèle, une Marianne, une Fanny. Simone nous consola, nous n'aimions pas Pascale. Sara nous plaisait beaucoup, nous aurions voulu que Daniel nous laissât au moins le temps de bien la connaître.

— Et pourquoi tu ne la vois plus, Jeannine? soupire Pauline. On l'aimait bien, nous...

Daniel supporte notre intérêt avec patience. Cependant, depuis quelque temps, quand il amène une jeune fille à la maison, il m'avertit :

— Ne t'attaches pas, hein? Ce n'est pas sérieux. Pas de sentiment!

Daniel :

— Je n'ose plus amener mes amis à la maison, parce que vous les recevez si cordialement qu'après, quand je veux me brouiller, je ne peux pas.

Maman

Maman a le goût des médicaments. Un peu sorcière, elle les juge, les dose, les distribue, conseille des régimes, des précautions, qui ne semblent pas tant destinés à préserver la santé qu'à fournir un divertissement hygiénique autant qu'érudit. Maman disant : « Je me demande, si on prend un quart de Corydrane, avec un demi Equanil, si le résultat ne serait pas intéressant... » a la mine de l'alchimiste prêt à prendre les risques d'une explosion pour faire une découverte précieuse.

Maman :

— Je suis un peu fatiguée ce matin. Figure-toi qu'hier soir, je passe dans le bureau de ton père, et je vois un médicament que je ne connaissais pas. *Naturellement je suis tentée,* j'en prends un cachet... Eh bien, j'ai très mal dormi!

Son visage méditatif exprime tout de même la satisfaction d'une expérience douloureuse, mais enrichissante.

Papa

Papa émet quelques doutes sur la longueur des cheveux de Daniel. Mais au fond cela n'est pas grave. Daniel a mille mérites que sa chevelure cache peut-être aux yeux de certains, mais pas aux nôtres. On pourrait s'inquiéter des phases par lesquelles il est passé (bijoux, saxophone, rentrées tardives, tenues bizarres) mais il a quelque chose, à travers toutes les excentricités, de solide et de rassurant. Quoi? Je cherche, papa trouve.

— Il n'est pas raisonnable, dit-il, mais il est sérieux.

Je trouve toute une philosophie de la vie dans cette définition.

Maman

Passionnée de philosophie, maman conçoit mal qu'on ne partage pas ses emballements et ses indignations.

— Qu'as-tu fait hier, ma chérie?

— Dîné chez les P., maman.

Le visage de maman s'empreint de consternation.

— Ma chérie! Je ne t'avais pas dit! Ah! j'aurais dû...

— Mais dit quoi, maman?

— Figure-toi que j'ai vu P. il y a quinze jours, nous avons eu une conversation un peu poussée, et j'ai découvert que...

— Que?

— Que ce n'était pas un vrai platonicien!

***

Isabelle, Cuba et la révolution

— Marie, dit Mme Josette, était la plus intelligente. Isabelle, la plus jolie.

— Et vous, madame Josette?

— Oh, moi... j'étais la plus silencieuse.

La saga de Mme Josette se déroule lentement, au fil des semaines, parfois traversée d'une lueur de poésie. Parfois j'y sens présente une attente, un espoir; parfois il n'y a plus rien, que ce long silence résigné, cette nuit obscure de l'âme qu'elle endure avec une aveugle patience. Depuis quinze ans que je me rends chez elle, de temps en temps, pour faire soigner mes cheveux, elle dévide ce mince fil gris, sa vie. Mais il y a tant de nuances dans le gris.

— Nous allions en vacances chez un oncle, dans les Landes. Là-bas les puits sont à ras de terre; on met des grillages dessus à cause des enfants et des bêtes. Mais parfois on oublie, ou alors, elle les enlevait peut-être, je ne sais pas. Toujours est-il que Belle se balançait au-dessus de ces puits, en appui sur les bras seulement, les jambes pendantes dans ce trou, au-dessus de l'eau. Elle se balançait, se balançait. J'étais morte de peur, vous pensez bien, je n'osais pas m'approcher de crainte qu'elle ne tombe, et elle riait, elle renversait la tête en arrière, « tu as peur! tu as peur! » Bien sûr que j'avais peur! Au couvent, elle montait sur le mur de la chapelle. « On m'a fait de la peine! Je me jette! » Les sœurs se groupaient en bas. « Isabelle! On vous en supplie! » Moi, je lui disais : « Un jour, tu tomberas pour de vrai! — Bien sûr. »

Isabelle est modiste à Tours. Elle a trois filles « belles comme le jour ». Elle a divorcé deux fois, mais « toujours gaie », dit Mme Josette. Passant à Tours pour une conférence, j'ai eu envie d'aller la voir. Mais à quoi bon? Sûrement elle ne se balance plus au-dessus des puits.

— Oh! vous ne l'auriez peut-être pas trouvée, dit Mme Josette. Elle a des lubies, vous savez. On m'a dit l'année dernière — un ami qui était passé par là à l'improviste — qu'elle était partie brusquement, sans prévenir personne, pour Cuba.

— Pour Cuba?

— Pour Cuba. Et quand je lui ai écrit pour lui demander son avis sur la situation là-bas (vous savez que je m'intéresse à ces choses-là) tout ce qu'elle m'a répondu, c'est qu'elle avait visité là-bas des grottes magnifiques, dans lesquelles on descendait au milieu d'un champ d'ananas, et qu'elle était bien contente d'avoir vu que c'était vrai, que les ananas poussaient à ras de terre et non pas sur des arbres, car elle ne l'avait jamais cru. C'est tout ce qu'elle a vu à Cuba, des ananas! Vous vous rendez compte!

Peut-être après tout qu'Isabelle, modiste à Tours, se balance toujours au-dessus des puits, dans les Landes?

— Tout de même, ressasse Mme Josette, ne voir à Cuba que des grottes et des ananas, alors qu'il y a tant de problèmes sur lesquels...

Bien sûr. La soif de connaissance, d'information impartiale, de Mme Josette, est une belle chose. Les ananas aussi, certainement. Et les grottes. Qui n'a rêvé de grottes dans son enfance? Ne voir que des ananas, sans doute... Mais ne pas les voir? Il faudrait les voir *aussi*. C'est le plus difficile. C'est ce à quoi je reviens toujours. On s'est tant servi de la beauté du monde pour en justifier l'injustice, qu'on s'est mis à avoir honte de cette beauté. Comment montrer aux enfants — et si je reviens toujours aux enfants c'est parce que leur parler m'oblige à tout clarifier pour moi-même — cette double appartenance à ce monde et à l'autre, à l'autre à travers ce monde et non en dehors, cette transparence qui ne doit pas être évasion, cette joie qui ne doit pas être insouciance; leur laisser ce goût de la beauté du monde, de la poésie, de la gratuité, en même temps que le sentiment que tant de souffrance coexiste avec tant de beauté.

Car il me semble bien sûr merveilleux et drôle que cette femme inconnue tout à coup saisie d'une impulsion vole vers Cuba et en revienne, durablement ravie du fait d'avoir vu enfin, alors qu'elle en doutait, que les ananas se cultivaient dans les champs, si bas, presque comme des artichauts. Et elle l'avait peut-être vu, enfant, sur une de ces images instructives que l'on trouve dans les tablettes de chocolat « Récolte des ananas à la Guadeloupe. Série produits exotiques », ou dans son livre de géographie, mais elle n'était pas sûre, elle avait un doute, on fait avaler tant de choses aux enfants, et les paysages de la vie ressemblent si peu à ceux, bien ordonnés et exécutés en trois ou quatre couleurs, des cartes de géographie... Et maintenant, à quarante-trois ans, elle sait, elle a vu, les stalactites merveilleuses au fond de la terre et les ananas au-dessus, et cela lui paraît important, à Isabelle-qui-se-balançait-sur-les-puits, à Isabelle-perchée-sur-le-mur-de-la-chapelle, plus important que l'économie agricole, que l'alphabétisation, que la liberté d'expression à Cuba, toutes choses qui eussent passionné Mme Josette et sur lesquelles elle fût revenue dûment renseignée, valises bourrées de statistiques. Ce trait m'enchante et me désole. Comment ne pas perdre l'esprit d'enfance sans sombrer dans l'enfantillage, le pittoresque, l'esthétisme? Comment s'intéresser à l'évolution du monde, s'informer, prendre parti, sans perdre le don d'émerveillement, de gratuité, la disponibilité à l'instant si précieuse?

Je fais un essai pour réconcilier poésie et information en faisant entendre aux enfants, sur un disque prêté, la belle chanson si épique, si hugolienne, des Cubains, dont le refrain est « Alfabetisar, alfabetisar... ». Mais Pauline éprouve les doutes les plus sérieux sur le bon sens d'un peuple qui chante sa joie d'apprendre à lire.

— Moi je m'en passerais très bien, dit-elle. Je sais dessiner, cela suffit. Et je n'ai pas eu besoin d'apprendre. Faire une révolution pour apprendre à écrire!

— Peut-être que si on t'en empêchait cela t'en

donnerait envie, insinue Alberte qui en connaît un bout sur l'esprit de contradiction.

— Et on empêche les enfants d'aller à l'école, dans les pays?

— On ne les empêche pas par la force, mais il n'y a pas d'écoles, ou alors elles sont trop loin de leurs maisons, ou les enfants doivent travailler dans les champs, ou...

— Et alors, c'est la révolution?

— Parfois. Il y a beaucoup de raisons à une révolution.

— Qu'est-ce que c'est une révolution, maman?

Et Alberte, qui a vu les barricades tout près de son école :

— Est-ce que c'est un péché la révolution, maman? Et la guerre, est-ce que c'est un péché?

Vincent, qui se réfère volontiers aux textes, toujours sûr de lui-même en matière théologique :

— Bien entendu. C'est dans la Bible. Tu ne tueras point. Et il y a aussi quelque chose dans saint Paul, je crois, où il dit qu'il faut obéir aux rois et aux présidents.

— Mais si c'est le président qui te dit : « Allez-y », et que tu sois obligé de faire la guerre, alors tu peux y aller et le péché est pour lui.

— Tu peux résister et devenir objecteur de conscience, fait observer Vincent, vertueux.

Cependant Pauline hurle de rire :

— Si le président te force, c'est lui qui fait le péché, et toi tu peux tuer tous ceux que tu n'aimes pas, pan, pan, pan!

— A ce compte-là tous les présidents du monde seraient en enfer, fait remarquer Vincent.

— Ils y sont peut-être, dit Alberte.

Nous méditons un moment sur cette triste éventualité.

— De toute façon, on ne peut pas faire une révolution sur l'ordre d'un président, puisque c'est contre le président qu'on fait une révolution, remarque Vincent.

— Alors les pauvres étudiants, ils vont en enfer? demande Pauline.

— Non, parce qu'ils ne tuent personne.

— Et si on tue quelqu'un et qu'on croit qu'on a raison? Et si on tue quelqu'un de très méchant? Et si...

Ils vont, ils vont... Tous les enfants d'aujourd'hui regardent la télévision. Tous les enfants d'aujourd'hui ont dans l'oreille sinon dans l'esprit le nom du Vietnam, du Biafra, le bruit des grenades, le sifflement des balles. Peut-être tous ne posent-ils pas ces questions difficiles? Peut-être est-ce un succès qu'ils posent ces questions?

— Je ne sais pas si la guerre et la révolution sont des péchés. C'est une question de conscience personnelle, je pense. Si toi tu trouves qu'une guerre est injuste, par exemple, c'est un péché de la faire même si on te le commande.

— Mais si on ne veut pas faire la guerre on va en prison? (Alberte.)

— Pas les filles, dit Pauline. On ne peut pas faire la guerre, les filles. C'est dommage parce que..

— Il y a eu des filles dans les révolutions et il y en a eu dans la Résistance. Et puis en Israël, elles ont même un uniforme pareil que les soldats.

— Ah bon! dit Pauline qui envisage l'avenir avec plus d'optimisme.

Je dis :

— Sans aller forcément en prison, on peut résister, comme Vincent le disait, en devenant objecteur de conscience, en demandant à être dans la Croix-Rouge...

Vincent. — La non-violence. Moi je suis pour. Mais ça ne rend pas souvent. Comme ces paysans qui avaient fait une route en Sicile, que tu as raconté, pour montrer qu'ils étaient capables, et qu'il fallait leur donner du travail.

Alberte. — Et on leur en a donné?

Vincent. — Je ne crois pas.

Pauline. — Alors ils ont fait la révolution?

Moi. — Non. Pas pour le moment.

Pauline. — Mais ils vont la faire, hein?

Moi. — Je ne sais pas.

Vincent. — Dans un cas comme ça, où il y a une injustice, est-ce que c'est un péché de faire la révolution et de se battre?

Je suis un peu embarrassée. Mais Alberte tient la solution.

— Il n'y a qu'à écrire au pape. On lui dit, voilà, c'est injuste, je suis vraiment obligée de faire la révolution. Et il t'envoie une dispense.

— Tu crois?

Alberte, sûre de son affaire :

— Mais oui. Dans le temps, quand il ne fallait pas manger de la viande le vendredi, l'oncle d'une amie qui était malade, eh bien il a eu une dispense pour manger de la viande, et ce n'était plus un péché.

Elle est si évidemment convaincue que Vincent et moi restons pensifs. Vincent ne peut cependant se défendre d'un certain scepticisme :

— Tu sais, le pape, il a beaucoup à faire..., soupire-t-il.

Le progrès

— Et alors, après la révolution, dit Alberte, qui, sa dispense en poche, couverte par l'autorité papale, se voit déjà réformant la société, c'est le progrès! Tout va mieux!

— Parfois. Au moins on essaie.
— Si ce n'est pas mieux ce n'est pas la peine.
— On ne peut pas être absolument sûr à l'avance que ce sera mieux, parfois.
— Alors c'est risqué, dit Alberte, refroidie.
— Tout ce qu'on fait, tu sais.
— Comment, tout?
— Les livres, les enfants... On ne sait pas si ça vaut la peine de se donner tout ce mal pour écrire des livres, sans être sûr qu'ils en valent la peine, pour élever des enfants, sans être sûr qu'ils seront heureux...
— Oui, mais la révolution, ce n'est pas du mal que tu te donnes, c'est du mal que tu fais aux autres, dit Alberte avec pertinence.
— Parfois. (Il me semble que les mots que je prononce le plus souvent avec mes enfants, c'est : parfois, peut-être, d'une certaine façon... Equité louable, ou dangereuse incertitude?)
— Oui, pense à Louis XVI, au tsar Alexandre, reprend Vincent qui aime étaler ses connaissances.
— Je pense que les révolutionnaires trouvaient que ça valait la peine de sacrifier quelques hommes pour le bonheur de tous.
— Mais puisqu'on n'est pas sûr?
— C'est là le risque.
— Est-ce que tu es un révolutionnaire, maman?
— Je ne sais pas. Je ne crois pas.
— Pourquoi?
— Peut-être que je n'ai pas assez de courage. Ou d'optimisme.
— Le Christ a dit : si on te frappe sur une joue..., murmure Vincent.
— Oui, mais il n'a pas dit : si on frappe sur la joue des autres, ne dites rien et allez-vous-en.
— Je me demande si on peut être à la fois chrétien et révolutionnaire, conclut Vincent.
— Beaucoup de gens se le demandent.

— Et ils n'écrivent pas au pape? demande Alberte, qui en tient toujours pour sa dispense.

— Le pape ne peut pas tout décider pour nous, tu sais.

— Alors je me demande à quoi il sert, dit Alberte, mécontente.

*
* *

L'argent

— Il y a des filles à l'école, dit Pauline, qui sont plus gâtées que nous. Quand c'est la rentrée, elles ont un cartable neuf même si le vieux est encore bon.

— Est-ce que tu ne trouves pas ça un peu bête?

— Pour sûr, dit Pauline. Mais elles, pas.

— Vous, vous avez des leçons de piano, de danse, vous allez à la piscine...

— Oui, dit Pauline. Tu sais, ce n'est pas que je réclame. Seulement ce qu'on a, nous, ça ne se voit pas.

*
* *

— Il y a des filles, dit Pauline, qui vont aux sports d'hiver et qui ont des skis. Nous on va à la montagne avec la colonie, mais ce n'est pas pareil et on n'a pas de skis.

— Ce serait un peu cher pour moi s'il fallait que

je vous achète des skis à tous. Il y a des enfants qui n'ont pas de vacances du tout, tu sais.

— Des nègres, dit Pauline.

— Mais non, pas seulement. Des enfants dont les familles sont trop pauvres.

— On peut toujours aller en colonie, dit Alberte, ou alors, c'est qu'on ne sait pas se débrouiller.

— D'abord ce n'est pas absolument vrai. Il y a des gens qui n'ont même pas assez d'argent pour envoyer leurs enfants en colonie. Et puis, même le fait de ne pas savoir se débrouiller vient souvent de ce qu'on est pauvre.

Alberte médite. Pauline éclate en sanglots passionnés.

— Pas assez d'argent pour aller en colonie! répète-t-elle, consternée. Il faut leur en envoyer, de l'argent! Je veux bien rester à la maison, moi, et donner ma place.

— On ne peut donner qu'une place, et on ne peut pas envoyer assez d'argent pour tous les enfants pauvres, fait remarquer Vincent. Songe aux pays sous-développés!

— On pourrait toujours en envoyer un peu, supplie Pauline.

— Il vaudrait mieux apprendre aux gens à se débrouiller que de leur envoyer de l'argent, dit Alberte. Ça durerait plus longtemps et ce serait plus intéressant. Seulement il faudrait savoir soi-même, pas comme toi, maman, qui ne comprends jamais les papiers de la Sécurité sociale.

Bien sûr, on se range à la solution de facilité. On enverra un peu d'argent. Mais je pense à la phrase de Pauline : « Je veux bien rester à la maison et donner ma place. » Quelle famille accéderait à ce naïf élan? Il faut que les enfants aient du « bon air », et l'hiver a été si fatigant, ce second ou ce troisième trimestre les ont pâlis, nos enfants, malgré les vitamines et les jus d'orange, et on laisse passer l'élan, on range cette sensibilité de l'enfance parmi les puérilités, on la laisse mourir pour que l'enfant ait de bonnes joues rondes et acquière l'habitude de considérer que ses besoins à lui passent avant tout... C'est ce qu'on appelle être raisonnable. Jusque dans la vie la plus quotidienne on vit à rebours des vérités chrétiennes, des priorités chrétiennes les plus fondamentales et on appelle cela être adapté à la société. Quelle mère acceptera sans regimber que sa fille donne à une petite amie sa plus belle poupée? Elle suggérera : « Donne plutôt l'autre, celle de l'année dernière. » Elle ternira le bel élan, entachera d'un peu de duplicité la joie si simple de donner, et se croira « raisonnable ». Comme nous les abîmons, ces enfants qui nous sont confiés.

L'enfer

Alberte a traversé une période difficile. Rétive, paresseuse, elle qui ne l'a jamais été, elle s'est mise à dérober de petites sommes, tantôt dans mes poches, tantôt dans celles de Dolores, puis dans le sac d'une épisodique femme de ménage. Cela finit par prendre des proportions inquiétantes : des billets de mille francs, un de cinq mille, disparaissent. En même temps nous apprenons qu'elle arrive régulièrement en retard à l'école, où elle se fait conduire par des agents de police (!) qui lui servent d'alibi et auxquels elle soutient qu'elle s'est égarée. (Elle traverse Paris en tous sens sans jamais se perdre.)

Notre inquiétude grandit. Je raisonne la coupable.

— Voyons, essaie de comprendre; Cristina, elle

gagne cinq cents francs par heure, quand elle fait des ménages. Tu te rends compte que quand tu lui prends mille francs, tu lui voles deux heures de son travail ? C'est long deux heures de travail !

— Oui, mais tu l'as remboursée, dit-elle, butée.

— Je l'ai remboursée avec de l'argent qui représente mon travail à moi. Tu ne peux pas sortir de là.

— Oui... Mais c'est quand même plus juste...

— Quoi ?

— Que tu me donnes ton travail à toi...

— Que je te le donne, oui, que tu me le voles, non.

— Est-ce que l'argent, c'est toujours du travail ? Il y a bien des gens qui en ont et qui ne font rien.

— Alors c'est ce qu'on appelle un capital, c'est l'argent qui travaille pour eux, quand il est placé. Mais c'est trop long à expliquer.

— Oh ! je comprends bien ! dit-elle, le visage illuminé de malice. C'est ces gens-là qu'il faudrait voler, hein ?

Je ne trouve pas de réponse. Inculquer à un enfant le respect du capital ne me semble pas besogne exaltante ; par ailleurs, transformer ma fille en un Mandrin en jupons... J'en suis à me demander s'il faut consulter un psychologue, un psychanalyste même, quand brusquement, le remords ayant fait son œuvre (de quelle façon mystérieuse ?) Alberte manifeste tout à coup, un matin, après cinq semaines de cynisme, une violente contrition : « Je ne volerai plus ! Je ne volerai plus jamais ! » et dépose sur mes genoux le fruit de ses rapines. Un reste de monnaie, une quantité invraisemblable de paquets de bonbons à moitié vides, biscuits et chocolats à demi rongés, un papillon artificiel en plastique, des boucles d'oreilles également en plastique, un singe mécanique qui bat du tambour, une boîte d'aquarelle, une trousse d'école en faux crocodile, et j'en passe. Que faire d'autre que de la consoler, la féliciter, prononcer un petit discours moral sur la force de la conscience (Caïn!) qui me fait un peu rougir, mais qu'Alberte approuve gravement.

— Ah! oui, c'est bien vrai...

— Mais comment as-tu compris cela, ma chérie?

— C'est hier soir dans mon lit quand je mangeais mon chocolat — je le mange toujours quand la lumière est éteinte à cause de Pauline qui raconte tout — dans le noir, là, je me suis dit : maintenant c'est l'enfer.

L'enfer! Mais qui a donc pu lui parler de l'enfer? Jamais je n'évoque pour elle l'au-delà sous une forme terrifiante, et je me souviens de leur avoir dit plusieurs fois ma conviction qu'après un temps plus ou moins long toute âme, purifiée, rejoignait le « séjour de la lumière et de la paix ».

— Je ne suis pas sûre qu'il y ait un enfer, sous la forme où on se le représente habituellement, tu sais. Tu vois bien, dans le Nouveau Testament, Jésus parle rarement de l'enfer. Je ne suis pas sûre qu'il y ait une seule âme en enfer. En tout cas, sûrement pas une âme d'enfant...

Alberte ne paraît pas convaincue. C'est une nature si sombre et passionnée, qu'il est bien possible, après tout, qu'elle désire qu'il y ait un enfer.

— C'était le noir, tu sais, et puisque je ne pouvais rien dire à Pauline, et que j'avais peur qu'on trouve le singe et la trousse, et tout, que j'avais cachés derrière le frigidaire.

Bien sûr, cette solitude, ce cloisonnement dans l'idée du péché, peut donner une intuition du mal, et même de l'enfer, à un enfant sensible. Et Alberte est certainement la seule de mes enfants qui ait cette intuition-là.

Faut-il s'en inquiéter? S'en réjouir? J'ai eu une telle horreur d'un certain « sens du péché » qui place le mal dans la création et non dans la créature, que je risque peut-être d'exagérer par un excès d'optimisme ?

Cependant l'esprit mobile d'Alberte semble se détourner de ces sombres perspectives.

— Mais tu les as remboursées, dis, Cristina et Dolores ?

— Oui.

— Alors si je te donne tout ce que j'avais acheté avec leur argent et que tu leur as rendu, alors c'est comme si tu achetais avec ton argent ce que je te donne ? Ce n'est plus comme si je l'avais volé ?

Cette argumentation me paraît bien spécieuse. Mais elle semble si heureuse de se débarrasser de ce fardeau de remords, que je n'ai pas le cœur d'insister.

— D'une certaine façon... Mais je te ferai remarquer que je n'ai pas l'habitude de dépenser mon argent à acheter des singes mécaniques et des papillons en plastique.

— Tu ne les trouves pas jolis ?

— Là n'est pas la question.

— Si tu ne les veux pas pour toi, tu pourrais les mettre de côté pour Noël. Alors tu me les donneras et ils seront vraiment à moi.

Un temps :

— Ça te fera même une économie.

Plus tard :

— C'est vrai, tu sais, que je ne volerai plus, dit-elle, fichant dans le mien son regard bleu, si droit. Et son visage mobile se transforme à nouveau, s'illumine.

— Et pourtant, si tu savais, quand j'allais comme ça, tôt le matin, dans des rues que je ne connaissais pas, et m'achetant tout ce que je voulais, c'était formidable !

L'enfer est loin.

Ce qu'on reproche le plus, ce que je reproche le plus à une certaine forme d'éducation chrétienne, c'est un sens du péché qui trouble et dédouble l'enfant dès le plus jeune âge, entrave son instinct ou au contraire nimbe d'une auréole redoutable (entache de suspicion) la Création elle-même. Dans un livre qui fut célèbre (*la Nuit privée d'étoiles*), Thomas Merton, pour avoir bu quelques verres de bière et lu Marx dans son jeune temps, se traite de suppôt de Satan. Ce serait s'acquérir une auréole satanique à bien bon marché. Comment de tels propos peuvent-ils être pris au sérieux par des incroyants? Comment la mystérieuse figure du Mal incarné pourrait-elle leur paraître autre chose que grotesque, si on la leur présente sous la forme d'un joyeux étudiant buveur de bière? Non que je donne dans l'excès contraire qui consiste à croire que seuls quelques rares criminels, quelques monstres ont accès au domaine du péché; mais il est si important de dissocier le mal des objets à travers lesquels la tentation se présente...

Oui, les enfants, certains enfants, ont accès au domaine du mal. Oui, « le péché peut être même dans un verre d'eau », encore que le verre d'eau en soit bien innocent. Mais comment donner à l'enfant cette exigence sans qu'elle devienne obsession? Comment développer en lui un véritable sens de la responsabilité sans qu'il devienne un sentiment de culpabilité qui lui empoisonne la vie? Il faudrait être constamment inspiré, et si libre...

— Elle est bonne au fond Dolores hein, maman? dit Alberte.

— Bien sûr.

— Elle crie et elle dit des gros mots, mais elle est bonne au fond.

— Oui.

— Alors pourquoi je ne dois pas dire de gros mots, moi?

— On peut être bonne *sans* dire de gros mots ce n'est pas indispensable.

— Mais ça n'a pas d'importance?

— Ça n'a pas une énorme importance aux yeux de Dieu, non. Mais pour le monde...

— Qu'est-ce que ça fait le monde? Il n'y a que Dieu qui compte, dit Alberte.

— Dieu pardonne tout, n'est-ce pas maman? dit Pauline d'un air très agité.

— Il pardonne tout par amour, si on regrette le mal accompli. Mais c'est justement parce qu'il est tout amour qu'il ne faut pas lui faire de la peine.

Pauline éclate en brusques sanglots d'orage.

— Maman, j'ai fait un gros péché!

— Quoi ma petite chérie?

— J'ai pris deux cents francs ce matin dans ta poche!

— Tu pourrais peut-être les rendre?

— J'ai acheté plein de carambars!

— Alors tant pis, ma chérie; mais il ne faudra plus le faire. Tu vois bien que tu as des remords, tu sens bien que tu as mal fait.

— Oh! oui, soupire Pauline, ses longs cils encore trempés de larmes, image vivante de la contrition, toute la journée je l'ai senti, maman. Honnête, elle ajoute : Après que j'ai eu fini les carambars.

***

Bonne impression

Interrègne. Dolores a trouvé une situation plus avantageuse dans un bar. Elle y achève une santé chancelante par des fatigues excessives (onze heures debout, l'autre jour) et une absorption non moins excessive de liqueurs fortes. De temps à autre elle revient, l'air guindé, et nous tend, comme on tend un cartel, un paquet de viande pour le chien. Elle sait bien qu'on aurait voulu l'aider; est-ce nous qui avons manqué de patience, elle de persévérance? Le silence entre nous, lors de ses réapparitions, traduit notre commune impuissance. « La vie », ce poids écrasant, a été plus forte que nous deux...

Je vais donc une fois de plus remettre une annonce dans *le Figaro.* Voir défiler ces visages parmi lesquels il faut choisir, en dix minutes, celui qui partagera notre vie, j'allais dire notre traversée. Jacques me morigène gravement :

— Ne va pas prendre la première venue sous prétexte que tu ne sais pas choisir ou qu'elle a l'air sympathique. Demande des *certificats.* Dis que tu vas réfléchir. Demande leur adresse et leur numéro de téléphone.

— Tu as raison.

Mais à peine le défilé commence-t-il (se présenter entre huit heures et midi) que je me sens accablée par une humilité et une angoisse insurmontables. Quoi, tant de gens qui cherchent une place, et moi qui puis la donner ou la refuser! C'est avec beaucoup d'effort que je repousse un Portugais à la mine chétive (j'ai pourtant demandé *une* employée de maison!) et un Marocain plus robuste. Il me faut pour cela faire appel à tout ce qui me reste de respectabilité et de sens social. Ce Portugais a une si nombreuse famille! Ce Marocain m'affirme qu'il sait si bien faire la cuisine! Après ces deux refus, mon énergie est à bout. Il est au-dessus de mes forces de refuser quelque chose à des gens qui s'efforcent de me faire *bonne impression.*

Bonne impression! Mais qui suis-je pour avoir de ces exigences? Pour faire laver mon linge et ma vaisselle par des gens qui me valent bien? Pour qu'une malheureuse souillon espagnole, aux ongles douteux et à laquelle manquent deux dents vienne se soumettre à moi et m'affirmer de sa bouche édentée qu'elle sait tout faire, absolument tout, à la perfection? Il y a celles qui savent tout faire, et ce sont généralement les plus malheureuses, celles dont on sait, rien qu'à les regarder, que le dernier avortement est d'avant-hier et la première cuite (quand j'aurai fait « l'avance ») pour après-demain. Triste forfanterie en savates que l'on voudrait embrasser, pieusement, sur ses joues grises. Il y a celles qui ne savent rien faire, la jeune rustaude aux mains rouges, déjà un bijou de Prisunic sur l'imperméable, innocentes chapardeuses prêtes à fuir avec le premier militaire venu, ayant brisé une vaisselle entière en six semaines. Il y a la mythomane qui a connu des jours meilleurs, la concierge avinée, la soixantaine, « qui est encore forte pour son âge », phrase qui déchire le cœur. Toutes les formes de l'incompétence et du malheur humain, est-ce qu'on peut leur dire non?

Jacques me découvre en pleurs dans la cuisine :

— Tu es trop sensible, décrète cet homme fort. Je vais m'occuper de cela. Va dans ta chambre, j'ouvrirai la porte.

Infiniment soulagée, je remonte, pour redescendre une heure plus tard, intriguée par le silence, et le trouver serrant dans ses bras une très vieille dame sanglotante.

— Elle me rappelait ma grand-mère, dit-il, quand la dame (hongroise) a tourné les talons, et pour excuser ses yeux humides. Elle était vraiment trop âgée pour le travail qu'il y a ici, mais elle regrettait tant!

— Elle n'a pas vu d'autres places?

— Oh! si, beaucoup, mais ça ne lui plaisait pas. Elle m'a dit : « Les Français sont tous sales et avares! »

Finalement, une jeune fille énergique m'engage. « Je sens que je pourrais être heureuse ici », dit-elle. Elle sait répondre au téléphone, cuisine, fait des emplois du temps, et s'exprime avec une distinction inquiétante.

— Ne croyez-vous pas que vous feriez mieux de chercher une place de secrétaire? dis-je timidement.

Elle me paraît tellement trop bien pour nous que cela m'inquiète.

— Non, non, vous me convenez.

Rendez-vous est pris pour le lundi matin, onze heures. Personne. La journée se passe, celle du lendemain... C'est de nouveau le désert, peuplé seulement de vaisselle.

— Toi qui la trouvais trop bien pour nous, tu as dû la convaincre, dit Jacques résigné.

Nous rentrons dans l'ère des femmes de ménage.

Allegra

— Quelle jolie robe tu as, dit Allegra. J'aime le roux de la jupe de Jeanne. Comment trouves-tu les imprimés persans qu'on fait cette saison?

Elle remarque nos jupes, nos ceintures et nos souliers. Debout sur une jambe, elle s'immobilise au coin d'une table, fascinée par une image de *Vogue*, de *Elle*, de *Marie-Claire*.

— Regarde ces deux couleurs, si c'est joli! Et ces poches en demi-cercle, c'est nouveau, tu ne trouves pas?

— Allegra, dit Jeanne, ne pense qu'à s'habiller. On se demande si elle a jamais réfléchi à autre chose.

Peut-être que non. Allegra veut un enfant; René, son mari n'en veut pas. « Mettre un enfant au monde... la responsabilité... la conjoncture politique... la bombe... » « Il a peur du bruit qui l'empêche de travailler, traduit Allegra, sereine, mais quand l'enfant sera là, il s'habituera. » Elle prépare sa layette. René vitupère la division de la gauche, la collusion de la droite, les incohérences de l'Eglise, la futilité des intellectuels, la trivialité des autres.

— Je lui fais prendre, dit Allegra tendrement, du citron chaud au réveil. Je crois qu'il a mal au foie.

Un auteur fou vient me rendre visite. Allegra est là. Jacques et moi nous concertons. Le recevoir, n'est-ce pas l'encourager dans sa folie? Ne pas le recevoir n'est-ce pas manquer au devoir de l'édition qui... Nous évoquons les auteurs du passé affligés de névrose, nous parlons de cas social, de la carence de l'Etat et des psychanalystes. Le temps passe. Dolores passe la tête, effarée. « *Il* marche comme un ours en cage. *Il* ronge ses ongles. *Il* a des tics. » L'ombre de la catastrophe plane. Le manuscrit n'est pas nul.

— Tu imagines ce type à *Lectures pour tous?* dis-je lâchement.

— On ne peut pas décider d'un manuscrit en pensant à *Lectures pour tous*, dit Jacques.

— Non, mais il sera là tout le temps, il faudra écouter le récit de ses malheurs, il nous téléphonera à minuit, il nous rendra ridicules...

On a déjà bien assez de tracas avec les auteurs normaux. Je me souviens pour ma part d'une mère qui me téléphonait à onze heures du soir, interrompant mon premier sommeil, pour me crier que son fils avait du génie! Au bout d'une semaine, j'avais cessé de trouver la chose touchante. Les fous, on s'en lasse très vite.

Cependant, je descends pour me rendre compte de l'étendue du désastre. Dans la salle à manger, calmé, souriant, tout à fait homme de bonne compagnie, le « fou » (avec à peine un léger tic de la bouche toutes les quinze secondes) écoute pépier Allegra qui s'est assise à côté de lui. Il ne fait aucune difficulté pour se retirer, son texte sous le bras, faisant un dernier signe à Allegra, du bas de l'escalier.

— Comment, c'est celui-là ? dit-elle.

Je sais que Jeanne, malgré toute sa bonté, trouve Allegra un peu stupide. Elle n'est pas jolie non plus, mais ça ne se voit pas.

Trini

J'ai cru pendant quelques semaines que la perfection existait. Dolores, au cours d'une nouvelle fugue, ayant émigré rue de Seine pour officier dans une loge de concierge, Trinidad, dite Trini, la remplace. C'est une femme de cinquante ans, propre et soignée, sans beauté cependant, de proportions trapues. « Un petit pot à tabac », dit Daniel. Mais elle paraît douée d'une quantité de vertus ménagères.

— Qu'est-ce que tu penses de Trini? dis-je timidement à Jacques.

— Aucun intérêt plastique, répond-il brièvement.

Alberte manifeste le même manque d'enthousiasme.

— On ne pourra rien lui faire jouer dans la pièce qu'on fait pour Noël. On voit tout de suite qu'elle n'aime pas le théâtre.

— Pas drôle, est le jugement laconique de Pauline.

Quant à Vincent, toujours précieux et pédant :

— Le moins qu'on puisse dire est qu'elle manque de pres-tan-ce..., dit-il, articulant bien chaque syllabe.

Je me fâche, et comme toujours quand on se fâche, c'est en partie contre ma propre faiblesse que je m'indigne.

— Mes enfants, il faudrait tout de même vous mettre dans la tête qu'une femme de ménage n'est pas là pour vous servir de modèle ou de sujet d'inspiration (ceci pour Jacques), pour jouer de la flûte, pour se spécialiser dans l'art dramatique et pour vous distraire, mais pour faire la cuisine et pour coudre les boutons. Et si elle le fait bien, je préfère cela aux cantatrices, aux flûtistes et autres figures pittoresques à cause desquelles, jusqu'ici, j'ai toujours fait ma lessive moi-même!

Je me sens très flamande ce jour-là; Trini, vêtue d'amples tabliers impeccables (oh! les savates de Dolores! son mégot au coin de la lèvre! les pulls suggestifs de Consolacion! Louisette que je surpris un jour lavant une assiette avec une vieille brosse à dents! Le corset de Marie-Louise oublié sur une cheminée!) Trini me paraît ce jour-là propre, belle, d'une dignité d'outil reluisant. Elle fait partie d'une certaine sorte de femmes petites, grosses, mais vives et prestes à miracle. Elle est silencieuse. Elle range sans cesse les objets disparates qui jonchent notre logis. Le soir, l'odeur de l'encaustique se mêle dans la salle (atelier-salon-salle à manger) à celle du pot-au-feu. J'en crois à peine mes narines. Je pense au pays natal. Et Trini cuisine à la perfection : gratins d'aubergines, escalopes viennoises, rôtis croustillants, sardines aux herbes se succèdent sur notre table. (Oh! les spaghettis collants de Dolores! les goulash épais et sans saveur de Franca! les biftecks grisâtres dégoulinant d'huile espagnole!) L'inquiétude naît.

— Trini, avez-vous eu assez d'argent?

— Trini en a toujours assez. Trini sait se débrouiller, énonce-t-elle, fanfaronne. Trini n'est pas comme Dolores. Elle est économe. Elle a de l'ordre. Elle sait utiliser les restes. Elle...

Evidemment, elle est contente d'elle. L'orgueil castillan, je suppose. Mais les plus grands esprits ont parfois ce défaut. Le linge était raccommodé, les enfants munis de tous leurs boutons, les armoires étaient rangées et paraissaient, débarrassées de leur couche de poussière, exhaler leur satisfaction. Trini remplaçait les ampoules électriques, vidait les cendriers, les corbeilles à papier, la poubelle. Le chien était nourri régulièrement. Une féerie.

Je fus enceinte. Les petits plats se succédaient, les biftecks épais, les salades raffinées. Un jour elle m'apporta le petit déjeuner au lit. L'angoisse grandissait en moi. Mais elle :

— Ne vous en faites pas. Trini s'occupe de tout. Trini n'est pas comme Dolores. Trini...

Nous hochions la tête, non sans un fugitif remords à l'égard de Dolores et des savates d'antan. « Vous entendez les passereaux? Ils chantent mes louanges », dit l'Infante de Montherlant. Trini devait être une sorte d'Infante, travestie sous des apparences rudes et sans grâce. Je perdis l'enfant que j'attendais. A l'hôpital, quatre jours après l'accident, Jacques vint me voir, et avec une mine mi-rieuse, mi-déconfite :

— Tu ne sais pas, Trini...

— Oui?

— Elle est partie ce matin pour l'Espagne, en avion, sans prévenir, sans laisser un mot... Je l'ai su par la voisine qui l'a vue prendre un taxi pour Orly.

— Trini?

— Trini. Et le plus fort...

— Oui?

— C'est qu'elle a emporté toutes mes chemises, celles de Daniel, le linge de table et les serviettes de toilette.

— !!

— J'ai rencontré une heure après Violetta (autre célébrité espagnole de la rue Jacob) qui m'a dit : « Alors, Trini a pris un congé? Vous auriez bien pu l'accompagner jusqu'à Orly en voiture, elle était si chargée! »

Malgré ma fatigue et notre tristesse, nous éclatons de rire.

Bon cœur, Dolores abandonne la rue de Seine et sa loge pour regagner, triomphante, la rue Jacob. Je crois qu'elle s'ennuyait, à vrai dire. Et puis elle a eu des mots avec le gérant.

— Il voulait me faire laver les murs de l'escalier. Est-ce que c'est une besogne de concierge, ça? Je lui ai juste répondu : « Et avec ça, vous ne voulez pas que je vous lave aussi les pieds? » Et il l'a mal pris...

Cela n'empêche pas qu'elle se sente dorénavant indispensable. A la moindre observation :

— Peut-être bien que le rôti est brûlé, mais, *moi*, je n'emporte pas vos chemises!

Rien n'est simple. Avant de partir, Trini a confié à Violetta :

— Je ne peux pas rester. *Ils* me coûtent trop cher.

En y réfléchissant, en effet, tous ces biftecks, toutes ces sardines, ces somptuosités culinaires n'étaient pas explicables si la malheureuse n'y mettait du sien. Je rêve un peu là-dessus.

Dolores. — Maintenant, je comprends, Avant je ne comprenais pas. Vous me disiez : « Elle est très bien », et tous ses précédents patrons, ils disaient : « Elle n'est bonne à rien. »

— Tu aurais pu me prévenir au lieu de me la recommander.

Lo. — Oh! je savais que vous aviez toujours des bonnes comme ça...

N'empêche que je comprends, si on lui a toujours dit qu'elle n'était « bonne à rien », que Trini ait voulu prendre sa revanche. Notre émerveillement devait la stimuler. Pour un peu je lui serais reconnaissante de l'illusion qu'elle m'a donnée pendant quelques semaines. Elle disait :

— Je resterai dans cette maison jusqu'à ce que vos filles se marient.

Elle disait :

— Ne vous occupez de rien, écrivez seulement...

Elle disait :

— Je vous aime déjà comme une fille.

Personnage de composition? Un jour je glissai sur une bille abandonnée par les enfants, avec un plat qui m'entailla assez profondément la cuisse. Elle s'évanouit. Elle disait :

— Vous travaillez trop, vous travaillez comme une femme de mon pays. J'ai pitié.

Elle soupirait en passant devant ma machine à écrire, comme devant un instrument de torture.

— Et pendant ce temps-là elle ne pensait qu'à emporter vos chemises, s'indigne Dolores. Si je la tenais!

Tout ce temps-là... Je ne crois pas, vraiment. Je crois que tout ce temps-là, elle pensait combien il serait agréable, au sein d'une vraie famille, d'être l'utile, l'indispensable, celle dont on ne peut pas se passer, celle qu'on loue, qu'on bénit à toute heure : est-ce que nous ne rêvons pas toutes de cela? Mais c'est une joie qui se paie cher, et comme beaucoup de pauvres, elle croyait que donner, c'est donner de l'argent. Alors elle en a eu assez tout d'un coup, elle voyait diminuer ses économies, peut-être, sentait fléchir ses forces... Elle n'a pu se résigner à n'être plus la perfection, le miracle... Elle s'est enfuie. Et puisqu'elle fuyait, puisqu'elle saccageait, détruisait son image, pourquoi n'eût-elle pas aussi emporté nos chemises?

Pauline

Pauline, prenant son petit déjeuner :
— Tu sais, maman, tu as vraiment fait beaucoup de progrès.
— Ah oui?
— Oui. Quand j'étais petite, tu t'impatientais plus souvent, et tu étais moins gaie, tu voulais toujours faire de l'ordre. Moi, je trouve, vraiment, que tu as fait des progrès.
— Merci, ma chérie.

Angoisse d'une mère

On sonne. Une jeune fille brune, agréable, extrêmement embarrassée.
— Pourrais-je avoir un moment d'entretien avec vous? D'entretien privé.
Un peu interloquée, je l'introduis dans ma chambre.

— Je m'excuse infiniment... Votre temps est si précieux... Mais j'avais peur qu'une lettre... On m'a conseillé de venir...

Je m'efforce de la mettre à l'aise. Très heureuse de la recevoir... Si je puis faire la moindre chose...

— Je m'appelle Sylvette, Sylvette Renard. J'ai dix-neuf ans. Mes parents... en province... seule à Paris... Trouvé une chambre près de la Sorbonne, mais mes moyens... cherché du travail... je débute. Je gagne tant par mois, mais il y a les commissions...

Je ne vois toujours pas. Un prêt? Comme je commence à les connaître, après le légionnaire et la vieille dame qui ne pouvait pas payer son loyer :

— Le Secours catholique, peut-être?

— Oh! non! (d'un trait). Je suis une très bonne amie de Daniel.

Un silence. Un certain trouble m'envahit.

— Il ne m'a pas...

— Non, je préférais... me présenter moi-même. Plus délicat...

Nouveau silence. Mon trouble grandit.

— Oh! si je n'étais pas dans les difficultés que je... dont je... je n'aurais jamais osé... je ne me serais pas permis...

— Mais si, mais si..., dis-je machinalement.

— Il m'a dit (Daniel) que vous étiez si bonne... que vous comprendriez...

Il y a longtemps (depuis les quinze ans de Daniel) que j'appréhendais quelque chose de ce genre. Dieu me l'a donné, Dieu me l'a repris. Avec résignation, je contemple ma future belle-fille. Ça aurait pu être pire.

— Allez-y. Bien sûr, je comprends très bien... Vous êtes jeune... vous préfériez me parler avant que Daniel...

— Oui. Après tout c'est moi qui touche la commission n'est-ce pas? Je dois apprendre à me débrouiller, mais je suis si timide... Je n'ai encore obtenu que dix abonnements de six mois et si je n'augmente pas mon rendement...

C'est ainsi que je me suis abonnée pour deux ans au *Magazine littéraire*.

⁂

Gilbert

Gilbert m'agace. Je dois reconnaître que Gilbert m'agace. Parce qu'il a servi, aux Beaux-Arts, des tasses de café aux contestataires de mai, il se croit une conscience politique. Parce que ses cheveux l'entourent d'un nuage crépu, qu'il se vêt de gilets afghans, de tuniques à fleurs, de broderies achetées aux Puces, parce qu'il n'épouse pas sa compagne, pousse des exclamations obscènes devant chaque mini-jupe qui passe, il se croit une âme d'artiste. Parce qu'il peint, grave, sculpte, abandonne tout pour se consacrer à la danse, participe à un happening, à une exposition sous une tente ou dans un car, parce qu'il « manifeste » chaque fois que l'occasion s'en présente, parce qu'il a une vie dispersée, Gilbert croit qu'il a une vie intéressante. Gilbert m'exaspère.

Gilbert a un avis sur tout. Quand on lui parle, il n'entend pas. Il pose une question, n'écoute pas la réponse, la donne lui-même et continue. En mai 68, Gilbert me rencontre, une serviette sous le bras.

— Comment, tu travailles! En ce moment!

Ce propos qui me rejette dans ce personnage vertueux et rangé que je hais, me pousse à l'accentuer.

— J'ai des charges, moi, dis-je d'un ton guindé.

— Comme c'est bourgeois!

— Ton œuvre c'est ta vie, hein? Comme c'est gauchiste!

Gilbert m'exaspère.

Gilbert vient voir les toiles de Jacques. Il penche la tête, critique, pontifie. Il me dit :

— Tu n'en as pas assez de travailler comme ça tous les jours, comme au bureau?

Il n'a jamais travaillé plus de quinze jours de suite.

— Je ne vois pas comment tu peux le supporter, dis-je à Jacques.

Jacques :

— Il a bien quelque chose...

— Il ne fera jamais rien.

— Oh! ça, non. Il ne fera jamais rien. Mais justement...

Justement?

Gilbert aux Puces, à la foire à la ferraille. Tout l'éblouit. Tape-à-l'œil. Convention de l'anti-convention. Il marchande âprement. Se croirait déshonoré d'acheter une chose à son prix. En hiver, pieds nus dans ses chaussures, en été, vêtu d'une peau de mouton.

— Il est aussi affecté, dans son genre, qu'un type de l'E.N.A.

— Oh! Absolument... Mais justement...

Je vais voir Gilbert dans son atelier. Triste grenier sis sous une verrière, froid l'hiver, chaud l'été; il y vit dans un désordre méticuleux. Il est tout au ravissement d'avoir vendu cent cinquante francs des paysages en trompe-l'œil pour fausses fenêtres: une idée à lui.

— Et ils te reviennent?

— A cent vingt francs pièce. Oh! il n'y a pas gros de bénéfice! Mais c'est une idée à me faire connaître et si je pouvais les faire en gros...

Et il se lance dans le commerce du trompe-l'œil,

du contre-plaqué, bouleverse le marché de l'esthétique. Il en a plein, des idées pour faire fortune, des idées pour se faire connaître, des idées, des idées, des idées... Gilbert me fatigue. Est-ce que j'ai des idées, moi? Une ou deux peut-être, et ça me suffit. Je vis là-dessus. Je suis mon idée, ça implique qu'on n'en a qu'une. Comment pourrait-il suivre quelque chose, dans ce tourbillon où il vit?

« Mais justement... », dirait Jacques. On se dit une petite chose comme ça, parfois, en famille, et ça fait son chemin, malgré tout. Gilbert est pauvre, très pauvre. Il ne s'en souvient qu'en rêve. Dans son atelier glacé, il vend trois tonnes de trompe-l'œil, séduit un harem, écrase Matthieu et Buffet d'un seul mot. Gilbert est gai. Il gâche sa couleur, son talent, sa vie, ses amours, et déjeune d'un café et d'une pomme, tout seul, petit homme courageux et fou, insupportable, seul, insoucieux, égoïste, mais ravi d'un vert, d'un bleu, d'un bon tour, d'un couvre-chef grotesque...

Ma perspective se modifie. On peut être, aussi, le capitaliste de ses talents.

— Viens dîner, Gilbert.

— Je veux bien. Mais achète de la vodka, je n'aime que ça, et des cornichons russes pour commencer, et...

Gilbert ne mange rien, ne boit pas. Il veut la table lumineusement servie, l'assiette pleine, le verre à ras bord et puis, il y trempe les lèvres, il renvoie l'assiette aux trois quarts pleine et il n'a même pas vu les cornichons russes. Je pense : « Ce gaspillage! » Puis je me moque de moi-même. Ils sont durs à tuer, les réflexes de la ménagère!

Gilbert s'affale devant la télévision, Pauline sur les genoux. On ne lui tirera plus une parole de la soirée. Bien entendu c'est nous qui sommes les bourgeois de posséder une télévision que nous ne regardons jamais (j'ai fait deux ans une chronique de TV, ça me suffit pour la vie) mais lui, une fois devant... Je ne puis me tenir d'ironiser :

— Je croyais que les deux choses que tu détestais le plus, c'était la famille et la télé?

Son visage simiesque, au-dessus de Pauline endormie, prend un instant un regard presque humain.

— Oh! Ici! J'ai mon alibi.

Un moment, un courant d'amitié passe. Un moment, cela suffit. Ne sais-je pas que d'un mot il va le rompre, le gâcher dès qu'il le pourra? Mais l'éclairage a changé. On peut être, aussi, le capitaliste de ses amitiés.

Amitiés

On investit. Des souvenirs, des dîners, l'argent et les livres prêtés et rendus, ces films idiots dont on a ri, ces convictions partagées ou respectées, ces moments de grâce... On investit. « Un ami de toujours », c'est un carnet de chèques. Le jour où l'on en a besoin, tel souvenir déposé sous clef, l'attention, la commisération, l'admiration, qui sont des dûs... On témoigne les uns pour les autres. Rien n'est plus admirable qu'une amitié de vingt ans. On se donne la réplique. On est sûr du résultat. On a chaud, on est bien tranquille. On finit par fermer la porte, pour rester « entre soi ». On touche sa retraite sous forme de « tu te souviens ». Un placement de père de famille, « les copains d'abord ».

Le flot se fige. Il y a « les autres ». On est spécialisé dans l'amitié politique, gastronomique, mondaine. Parfois, hélas, chrétienne. On est l'élite des joueurs de boules ou du Tout-Paris, on est l'Amicale de la paroisse ou les Anciens Combattants de l'art abstrait, on est le petit noyau de Mme Verdurin, ou les seuls Amis du vin des Corbières, on est un cercle, on est un rond.

« Empêcheur de danser du rond », cela dit bien ce que cela veut dire. Le cercle, par définition, est fermé. Si vaste qu'il soit. « Si tous les gars du monde, voulaient se donner la main... » Je connais la chanson. Mais ne faut-il pas que deux mains se lâchent, pour celui qu'on n'attendait pas? Et celui qu'on n'attendait pas, le pauvre, le parasite, celui qui dérange, qui rouvre la porte fermée, est-ce que ce n'est pas toujours le même?

Les amis, oui. Nous en avons qui nous sont très chers, qui viennent et qui reviennent dîner avec nous, les dimanches soir, et dont nous partageons les espoirs, les soucis, les travaux. Mais peut-être à ces dîners, parce que nous ne savons jamais combien nous serons, ceux qui passent sont-ils plus importants encore que ceux qui reviennent. Ou du moins, le fait qu'ils passent.

Je dis à Jacques :

— Plus tard, quand les enfants seront mariés, quand nous serons seuls, nous pourrons...

Jacques, ironique :

— Tu t'imagines que nous serons jamais seuls?

Ceux qui passent. Parfois ils ne reviennent jamais. Je m'en suis affligée. Puis : ce ne sont pas les amis qui importent, c'est l'amitié. « Comme c'est flatteur », dit Jeanne. Il est parfois bien difficile de se faire comprendre.

Il est parfois bien difficile de comprendre. Je réfléchis lourdement, gauchement. Je déduis, j'analyse. Et ce sont les autres, ceux qui parlent sans réfléchir, qui tout à coup m'apportent une réponse. Ils entrent, ils sortent, et parfois laissent derrière eux un mot, un sourire qui me sont précieux, dont je voudrais les remercier... Ils sont déjà partis. Ils reviendront peut-être, ce n'est pas sûr. Je le voudrais. Je voudrais qu'on puisse entrer et sortir de chez nous comme on passe dans un café, dans une gare, dans une église. Mais ces comparaisons sont trop grandioses. Dans une maison de papier, comme ces maisons japonaises si mal fermées, légers campements à peine posés sur le sol, idée de maison, et cela suffit, puisqu'on y est ensemble.

— Ensemble, mais dans les courants d'air, me dit Jeanne à qui je prône ce mode d'existence. Mon lyrisme tombe.

***

Courants d'air

C'est que le papier, ça ne tient pas chaud. Il faut que toute la chaleur, on la fournisse soi-même. Et si on ne peut pas...

Alors c'est la débâcle. On rentre, mal travaillé, et pire que mal, ce doute sur l'utilité profonde d'aligner des mots, de lire des phrases. Ce manuscrit sur lequel on s'est enthousiasmé, il est refusé partout. Ce livre que de bonne foi on trouve fade et niais, *le Figaro* lui consacre deux colonnes. La journée, si fraîche, si luisante comme une porcelaine, se ternit à mesure des obligations quotidiennes. Maria la Simple a mis au menu, une fois de plus, des steaks hachés. L'odeur de l'oignon flotte. Alberte s'acharne sur Czerny, mais il me semble que c'est avec dégoût, sans efficacité. Le courrier laisse apparaître des feuilles d'impôts, une sommation des Allocations familiales, des imprimés à remplir qui en rejoignent d'autres dans le tiroir déjà plein. A quoi bon? Je sais que si je les laisse s'accumuler, ce malaise intérieur ne fera que croître, mais tant pis. Salle à manger : gammes. Cuisine : Maria la Simple soliloque. Chambre de Dani : répétition musicale, Bobby chante, Daniel râcle *ma* guitare (aujourd'hui je ressens fortement que c'est *ma* guitare) tandis que Pieri, un ami délicat des amygdales, est couché dans le lit : il a la fièvre. Chambres des filles, de Vincent : désordre immonde. Un hamster surgit des draps d'Alberte. Le pigeon de Vincent souille le bureau (floc!) avec sérénité. Songeant aux statues du Louvre, je me représente ce que sera la chambre de Vincent dans un an. L'entrée est pleine de valises et de vêtements de formes et de couleurs diverses, mais ayant tous l'air de sortir d'une poubelle. « Je n'ai plus qu'à ouvrir une consigne. »

Pauline, victime d'une « coqueluche rentrée » (pourquoi mes enfants ont-ils toujours des maladies « rentrées » qui leur laissent toute leur vigueur? Maman me dit : « C'est la faute des vaccins. Ça n'est pas sain du tout. ») a découpé sur mon lit *Pomme d'Api*, le journal de la fillette chrétienne. Le découpage est une activité saine et normale chez un enfant retenu à la chambre. Mais pourquoi sur mon lit? « Je ne guérirai que dans ta chambre. » Ils ont tous dit cela, l'un après l'autre, à chaque grippe, angine, otite, à chaque rougeole, rubéole, oreillon, que Dieu fait. Et j'ai loué Dieu d'un si tendre attachement, et je me suis couchée chaque soir de ces grippes, angines, rubéoles, dans un lit embaumé de pommade, crissant de miettes de petit-beurre, parsemé de découpures de papier, avec sur l'oreiller une grande tache de sirop que je rencontrais sous ma joue juste un peu trop tard, au moment où déjà le sommeil me gagnait et où redescendre au premier chercher une taie était le perdre définitivement. Et souvent, je l'ai reposée, ma joue, tant pis, avec amour, avec confiance, et à peine avais-je dit les premiers mots de ma prière du soir : « Loué soit Dieu au plus haut des cieux et paix sur la terre... » que déjà je dormais.

Alors, aujourd'hui, ce vide et ce plein, pourquoi? Ce vide intérieur, ce dégoût, cette décoloration, la sève qui se retire? Les dessins des enfants sur les murs, ce ne sont plus que des papiers chiffonnés, du désordre. Les toiles de Jacques entassées dans l'entrée, des problèmes. Quand l'exposition? Qui achètera des toiles de ce format? Et les vêtements entassés ne sont plus que des vêtements, le bruit n'est plus que du bruit, ces pas, ces adieux dans l'escalier sont ceux d'étrangers dans une gare, tout a perdu son sens, il n'y a plus qu'un immense *encombrement*...

Il faut appeler Mgr P., de la Commission épiscopale. Il faut répondre à cette pétition en faveur de l'O.R.T.F. Il faut écrire au Seuil pour recommander le manuscrit de Georges. Il faut lire celui de Pascale, et remplir ce papier pour Maria la Simple. Il faut passer à la banque. Il faudrait tout de même finir par payer le dentiste. Et de nouveau remplir ce papier pour un concours de piano d'Alberte. La radiographie de Pauline. Remercier Simon pour l'envoi de son livre. Il faut, il faut...

Tout reflue, tout se bouscule dans ma tête. Ferai-je de la gymnastique le matin ou lirai-je le journal pour « me tenir au courant »? Devoir hygiénique, devoir civique? Irai-je chez le coiffeur, accepterai-je le dîner de M. Loisel (auteur refusé) celui de Mme Dethiers (membre d'un comité de bonnes œuvres) ? *Elle* m'affirme qu'à mon âge il faut prendre quelque soin de sa personne. Peut-on « laisser tomber » des auteurs qui peut-être un jour... ? Et cette pauvre Mme Dethiers, une femme de bonne volonté, qui semble tenir tellement à nous avoir à sa table...

Tout se heurte, tout est discordant. Peut-on avoir des enfants et écrire? Peut-on s'intéresser à la politique et préserver son silence intérieur? Peut-on s'ouvrir à tous et retrouver, sur commande, sa solitude? Et plus banalement, peut-on ouvrir sa maison à ses amis, aux amis des amis, aux passants, et y conserver un peu d'ordre et de décence, peut-on initier ses enfants à la poésie, à la musique, à la danse, les laisser libres de dessiner, couper, coller, chanter, et n'en faire pas d'abominables cancres, inadaptés à la vie sociale et dont la dentition laisse à désirer?

Perdre ses pouvoirs

Contradictions; j'erre comme une étrangère dans ma propre maison, dans ma propre vie.

Dans mon propre travail. J'ai lu un jour une nouvelle de science-fiction où un homme, doué de « pouvoirs » (j'adore cette expression si fréquente dans ce genre de littérature. Se trouve-t-on dans une situation critique, suspendu au bord d'un toit, tombé dans une fosse aux serpents, a-t-on besoin de passer à travers un mur ou lire la pensée d'un ennemi? On use de ses « pouvoirs ») découvrait en se promenant dans un vieux quartier l'entrée d'une rue qui n'existait plus. Elle avait existé dans le passé, et avait été brûlée à la suite d'une épidémie. Mais lui (à cause de ses « pouvoirs ») retrouvait le chemin de l'invisible, du passé, et tout naturellement, entrait dans la ruelle, en découvrait les habitants. Il y a beaucoup de richesse dans ces récits naïfs. Le chemin de l'invisible, on le trouve, et on le perd. Le sujet merveilleux d'hier est l'histoire aujourd'hui devenue banale. Le clair, l'évident, la révélation, cette goutte d'eau irisée par la lumière, tout à coup la lumière s'en retire, et il n'en reste rien. Ainsi du héros, qui de sa ruelle perdue tout à coup ne retrouve plus l'entrée. Il a « perdu ses pouvoirs ».

La couleur, et la musique, et tout ce qui vibrait et tout ce qui avait un sens dans cette maison et cette vie ont disparu. Privée de vent, la maison de papier ne vibre plus. Ce n'est plus qu'un édifice si fragile, si vain. Il faut traverser ce désert. Faire comme si. Sourire et même chanter. Lire, écrire, déchiffrer ou tracer ces signes vides. S'intéresser à ce dessin que je ne vois pas, à cette chanson que je n'entends pas. Cette terrible condamnation que porte le Jules César de Shakespeare : *He hears no music*, j'en sens tout le poids. C'est ainsi que commencent les périodes terribles; *I hear no music.*

Non, je n'ai pas « perdu la foi » expression absurde. Mais j'ai, au détour d'un chemin, « perdu mes pouvoirs ».

Daniel

Il faut donc s'en passer. Faire comme si. Cela pose tout de suite la question de la sincérité. C'est un des faux problèmes qui se pose le plus souvent dans une vie chrétienne quotidienne. Le jugement acerbe qui monte aux lèvres et que l'on arrête juste à temps, le mouvement d'humeur qui n'apparaît pas, mais continue à bouillonner, la patience excédée, la charité musculaire qui fait grincer des dents, bref l'absence de joie, d'amour, de spontanéité, de cette enfance en Dieu qui a fait notre bonheur, comment la masquer? Faut-il la masquer?

Me voilà morose et vide, avec une tendance au possessif. *Mon* temps, *mon* travail, *ma* baignoire. Perdre *mon* temps à lire ces manuscrits, à répondre à ces lettres, à téléphoner; compromettre *mon* travail parce que Sara, « jeune fille au pair » venue coucher à la maison à la suite de démêlés complexes avec ceux qui l'hébergent, a envie de bavarder. Trouver *ma* baignoire pleine de chaussettes que Daniel et Jacques s'attendent bien à ce que je lave... Je masque mon irritation derrière de vagues soucis « de bureau ». C'est bien commode parfois d'avoir un bureau! Et je continue à faire les gestes, à dire les mots, comme on fait une gymnastique. Mais il faut croire que cela se sent. Daniel :

— Enfin, tu ne vas pas dire que Sara ne t'énerve pas.

— Bien sûr que si, elle m'énerve. Mais plus je le répéterai, plus je serai agacée, alors j'aime mieux fixer mon attention sur autre chose : le fait qu'elle est malheureuse, qu'elle a un très gentil fond...

Ce « très gentil fond » me frappe peut-être moins aujourd'hui. Daniel doit le sentir.

— C'est la méthode Coué, observe-t-il, ironique.

Il y a des jours où je pourrais lui répondre, mais décidément je ne suis pas en forme.

— Mais non...

— Moi, je trouve ça hypocrite, dit-il avec feu, ce parti de faire comme si tout le monde était gentil, comme si on aimait tout le monde; ça diminue ce qu'on éprouve vraiment. C'est affecté, je trouve. On doit montrer ce qu'on sent vraiment.

— Mais ce n'est pas toujours ce qu'on sent qui est vrai, dis-je sans entrain.

Son étonnement me redonne un peu d'ardeur.

— Quand je travaille, par exemple, et qu'un enfant me dérange, ce que je sens c'est de l'impatience, mon travail me paraît beaucoup plus important que l'enfant, mais si je lui montre, il croira que c'est *toujours* comme ça, alors que je ne pourrais plus ni travailler, ni penser même si j'avais un enfant en danger.

— Oui, peut-être, concède-t-il. Mais pour les autres, pour les indifférents...

— C'est pareil. Ils ne nous paraîtraient pas autres, pas indifférents, si nous les voyions en danger ou si nous les comprenions vraiment. Donc en étant gentil, en essayant de parier sur ce qu'ils ont de meilleur, on n'est pas hypocrite, on se réfère à ce qu'on *sait,* ce qu'on *croit* plutôt qu'à ce qu'on sent.

Je vois bien qu'aujourd'hui je n'arriverai pas à le convaincre. Il y a en cette époque une sorte de vénération de l'instinct, du spontanéisme qui a son côté libérateur, créateur même, mais qui me heurte parfois parce qu'il élève le plus fugitif, le plus subjectif, au rang de vérité suprême et intangible.

— Si ce qu'on croit, ce n'est pas ce qu'on sent...

— Ce n'est pas ce qu'on sent tout le temps. Pas avec la même intensité en tout cas. Tu aimes quelqu'un, mais tu joues aux boules, tu ne sens pas que tu l'aimes. Tu apprends que cette personne vient d'être renversée par une voiture, tu ne l'aimes pas plus. Tu sens plus que tu l'aimes. Est-ce que ça veut dire que, durant les moments où tu sens moins que tu l'aimes, tu dois te montrer froid ou grossier? La sincérité, ça n'est pas la mauvaise éducation.

— Ça n'est pas la bonne éducation non plus, dit Daniel, non sans à-propos.

Non. Bien entendu. Si ce n'est que ça. Ce n'est pas que ça. Mais comment le dire?

Daniel encore, avec ce sérieux que j'aime :

— Si tu ne sens pas ce que tu crois, comment peux-tu être sûre que tu as raison de le croire?

Question pertinente, mais qui tombe mal.

Car la vie chrétienne quotidienne est une double vie. Couleurs, joie, gaieté, affirmations, élans, et, tout à coup, ce vide, qui n'est pas un doute, qui n'est pas encore un doute...

Combat politique parfois décourageant, amitié parfois déçue, travail tout à coup devenu besogne, joies maternelles devenues fatigues... « Mais à celui qui n'a pas, il sera ôté même le peu qu'il possède. » Quand la grâce a vivifié une vie, et qu'elle se retire, il ne reste même pas la vie. Accablement.

Brusquement le désert irrigué par cette pensée : louons Dieu d'avoir une vie où, quand il n'est pas, il n'y a rien.

Autre petite voie

Autre petite voie pour sortir de ce vide : le sens de l'humour. Je me souviens d'un retour particulièrement désolant où les deux cents bouteilles (ou à peu près) entassées dans la cuisine, la serviette de toilette qui avait servi en mon absence à astiquer les cuivres, la baignoire enduite d'une sorte de noir vernis (à croire que les inconnus qui s'y plongent travaillent tous dans l'industrie du goudron), le pigeon décidément tout à fait rétabli, les monceaux de factures et sommations d'huissier, n'avaient pu m'arracher un sourire. C'était un lundi matin. J'avais passé les fêtes de Pâques chez ma sœur Miquette : parquets étincelants, armoires à linge, enfants impeccables et *cependant* charmants. Mon œil avait dû se gâter devant cette perfection. Notre incapacité me semblait tout à coup aveuglante.

J'avais perdu mon sens de l'humour.

Le lundi s'est passé dans un morne découragement. Jacques m'assiste dans la pénible tâche de faire la vaisselle en retard et approuve chaudement mes discours pessimistes. J'évoque les impôts en retard, les dentistes irrités, les écoles prêtes à se débarrasser de nos enfants; ma santé compromise, nos métiers aléatoires; le désordre de Daniel, la paresse de Vincent, l'obstination d'Alberte, la turbulence de Pauline, ne faudrait-il pas mettre ces enfants en pension, faire des économies, supprimer le vin rouge et le téléphone, et nous retirer dans une campagne où il n'y aurait même pas le cinéma? Loin de me contredire, Jacques est trop heureux de contribuer à créer une atmosphère. Plus abstrait, il évoque cependant la conjoncture politique, l'instabilité du franc, la dégradation de la notion même de beaux-arts, passe un moment, avec virtuosité, sur notre état nerveux délabré, revient au général pour stigmatiser l'égoïsme de la jeunesse, prononce la condamnation à la déportation immédiate des occupants du règne animal (chat, chien, hamster, tortues, pigeon), avec peut-être une grâce possible pour le poisson rouge en faveur de sa longévité; et du règne amical (voir Daniel) et termine en exprimant la conviction qu'en dépit de ces mesures, la catastrophe ne saurait être évitée. Il faudra aussi renoncer à fumer et à donner les draps à la blanchisserie.

Sur le coin de la table de cuisine, nous partageons une canette de bière, assez satisfaits de l'ampleur du désastre qui s'étale devant nous; qui a écrit le poème sur le tremblement de terre de Lisbonne? Mais je n'ai pas retrouvé mon sens de l'humour.

L'aube du mardi est tout aussi sombre. Personne ne fait son lit. La fin du monde est proche. Je donne des tartines aux enfants pour le petit déjeuner, au lieu des choco-BN au moyen desquels je flatte habituellement leur gourmandise et ma paresse. Restrictions. Pauline annonce qu'elle a perdu sa montre en colonie de vacances : silence accablé. J'ouvrirai des conserves pour déjeuner. Je ne remercierai pas Simon pour l'envoi de son livre; il va en être très vexé. Pauline sent le vent. « Je ne me laverai pas les dents, dit-elle. — Eh bien tant pis. » Déçue, elle part pour l'école sans chanter.

Je porte les draps à la blanchisserie. C'est la dernière fois. La femme de ménage ne vient pas. Tant pis. Le soir je prépare du poisson surgelé. Personne ne proteste. Toute la maison se décolore et se ternit comme une plante sans eau. Alberte attaque son Czerny avec une résolution désespérée.

Mercredi, je m'assieds sur le lit de Daniel, qui a l'air d'un guerrier romain depuis qu'il a rasé intégralement son opulente chevelure. Tout ceci a assez duré. Ces vêtements dans l'entrée doivent disparaître. Et *qui* téléphone constamment dans le Midi? Si on s'imagine que je ne lis pas mes notes de téléphone, on se trompe! La baignoire, la disparition régulière de peignes et de brosses à dents, celle de mon parapluie, tout défile. Bon fils, Daniel murmure des onomatopées apaisantes. Il voit bien que je ne suis pas dans mon état normal. Est-ce que je veux une cigarette? qu'il me fasse du thé? (Il dispose pour cela d'un petit attirail dans sa chambre, et bouche régulièrement le lavabo en y vidant sa théière.) Mais je ne céderai pas. Aujourd'hui, pas de tête-à-tête oiseux, de fumigations d'encens (sa passion), de discussions détendues sur les mérites comparés des romans policiers. Du sérieux! L'après-midi se passe. Vers trois heures, sortant d'un manuscrit que je parcours avec l'amer plaisir du devoir accompli (c'est le seul plaisir que puisse procurer ce texte), je croise dans le couloir étroit, devant ma chambre, un inconnu qui sort des lavabos. C'est un monsieur, tout à fait un monsieur comme on en rencontre dans la rue, vingt-cinq ans, une cravate, un costume sombre... Il s'efface pour me laisser passer, avec l'indifférence polie que l'on témoigne dans les cafés et dans les gares. « Pardon, madame... » Comme je me retourne stupéfaite, je le vois se diriger très tranquillement vers la porte qui donne sur l'escalier, l'ouvrir, disparaître. Il n'est peut-être entré que pour utiliser les lavabos?

Un fou rire libérateur me cloue dans le couloir pendant un bon moment. La dignité de ce visiteur, l'usage qu'il fait avec tant de naturel de mon appartement, et jusqu'à son aspect d'homme de la rue, qui use d'une commodité publique, cela dépasse l'indignation. Quand je cesse de rire, je constate que mon sens de l'humour a reparu.

Daniel revenu, le soir nous essayons d'identifier le mystérieux inconnu. « Ce n'est pas Jean-Michel? Ni Richard? C'est peut-être... » Nous ne trouvons pas. En tout cas, je ferai des escalopes milanaises ce soir, pour célébrer le retour de mon sens de l'humour. Ce monsieur si digne, c'était peut-être un ange?

Encore Dolores

— Je suis avec un type de soixante-sept ans, dit Dolores. Il est bon. Il est vraiment bon. Il est marchand de charbon. Il veut m'épouser.

— Ce ne serait peut-être pas une mauvaise idée?

— C'est ce que tout le monde me dit. Mais moi, non. Je ne peux pas être aimable pour de l'argent.

— Il ne te donne pas d'argent?

— Mais je ne suis pas aimable! dit Dolores, dans un rire qui découvre une dent en or toute neuve.

Et Allegra

Allegra regarde son fils. L'enfant sourit, gazouille, joue avec un pompon de laine, tend les bras.

— Vous ne le prenez pas? dit Jeanne.

— Non, pourquoi?

Allegra la bien-nommée.

Et Nicolas

Il se croit si malin, Nicolas. Il emprunte de l'argent à D., qu'il a connue en sana.

— Prêtez-moi cinquante mille francs, je vous les rendrai dans quinze jours, sur un travail que je fais.

— J'aime mieux vous en donner vingt mille, que vous en prêter cinquante, répond-elle.

— C'est donc que vous n'avez pas confiance en moi.

— Vous ne viendrez peut-être pas à bout de ce travail, vous aurez des complications, je ne sais pas... Tenez, voilà vingt mille francs.

— Vous préférez donner vingt mille francs que risquer votre confiance, hein? ricane-t-il.

Elle est exaspérée.

— J'aime mieux ne pas avoir à penser à vous et aux bêtises que vous ferez sans arrêt pendant quinze jours, oui.

Nicolas triomphe.

— Elle l'a reconnu! Elle qui se dit mon amie, elle paie pour se débarrasser de moi, pour ne pas avoir à penser à moi pendant quinze pauvres jours!

Elle l'a reconnu, et qu'est-ce que cela lui apporte

à Nicolas? Une preuve de plus contre le monde, l'injustice du monde à son égard, l'absurdité des gens qui se disent amicaux, serviables. « Je lui ai bien fait voir... » Mais est-ce que cela les gêne de voir, mon pauvre Nicolas? Dans ce procès contre le monde et les hommes, ce n'est pas d'apporter des preuves qu'il s'agit. On peut gagner deux fois, dix fois. L'important, c'est que la victoire elle-même ne signifie rien.

Il est procédurier avec Dieu, ce parasite. Il lui dit en substance : « Voyez, je leur ai donné l'occasion d'être bon, bienveillant, de vous honorer en ma personne, deux fois, dix fois, et chaque fois, à un moment donné, ils ont failli. Qu'est-ce que vous dites de cela? » Il tend des pièges, avec bonne conscience. Plus il se rend insupportable, plus il fait le jeu de Dieu, n'est-ce pas? Plus il donne à ces malheureux l'occasion de manifester leur patience, leur équanimité. Il vient toujours un moment où leur résistance faiblit, et où il se fait jeter dehors avec « une injustice révoltante ».

Tu ne m'intéresses pas! Tu m'assommes! lui crie, à bout de nerfs, son ami B. chroniqueur au *Figaro*. Lui, admirable de dignité, de bonne foi :

— Voyons, Françoise, comment a-t-il pu me dire cela? Est-ce que, pour un écrivain, tout être humain n'est pas intéressant?

Introduit par D., par moi, dans des maisons d'édition, il y vole des services de presse par dizaines, qu'il revend. Nous le blâmons :

— Voyons, est-ce que la société est juste avec moi? Suis-je fou? Qu'on me soigne. Suis-je incapable? Qu'on m'héberge. Suis-je malade? Qu'on m'hospitalise. Mais si je ne suis rien de tout cela, et que la société me refuse une place stable, je suis en droit de me défendre. Non?

Que la société lui conteste ce droit et un de ces jours lui colle un casier judiciaire serait le triomphe, la preuve par neuf de son système. L'injustice de ce monde sera définitivement prouvée, c.q.f.d.

Mais pour l'instant, on a vaguement pitié, on le morigène, on ferme des portes à clé, on le reçoit dehors, on prend des précautions... Rien n'est définitivement réglé, jamais. Rien n'est net. Est-il bon, est-il mauvais? Nicolas n'arrive pas à leur régler leur compte, à Dieu et au monde. Il s'en désole.

Envoyé du diable! Parfois il est las, il fléchit, il cesse d'accuser, inlassablement, ce monde qui parce qu'il veut vivre, fût-ce les yeux fermés, refuse les marginaux de son espèce.

— Vous croyez? Peut-être je me suis trompé, en effet... D. est, au fond, assez gentille...

Il ferme un instant ses paupières rougies de noctambule, il voudrait bien faire comme les autres, se duper, espérer, fût-ce un instant, il voudrait bien...

— Mais tout de même, dans sa hâte, sa façon de me fourrer cet argent dans les mains, si vite, est-ce qu'il n'y avait pas une sorte de mépris, de peur, je ne sais pas...

Il voudrait bien, mais il ne peut pas; c'est ce qu'on appelle un névrosé.

*
**

Jacques écrit

Jacques écrit : « C'est à travers l'objet de consommation que s'exprime désormais l'ouverture sur le monde et sur la connaissance. Saisir cette singulière déviation, c'est retrouver et dépasser la vérité Dada au cœur même de la réalité donnée. C'est maintenant une boîte de conserve ou une veste qui mène à l'absolu; autrement dit, Dieu est une boîte de conserve. »

Aux Deux-Magots où je travaille, Jacques me glisse ce billet.

— Qu'est-ce que c'est? dis-je, ahurie.

— C'est ma préface à ton livre, répond-il, superbe.

Le travail :
Pas d'anecdotes

— Pas d'anecdotes, me dit la jeune femme sérieuse, pas laide un peu desséchée, qui prépare un grand article sur moi, mais pas un article du genre magazine féminin, pas un article « d'ambiance », un article vraiment littéraire, les thèmes dans mon œuvre, mes auteurs favoris, influences, visées profondes, etc.

— Vous pouvez vous rassurer, me dit-elle avec un sourire supérieur, je ne travaille pas pour *France-Dimanche!* Vos enfants, votre vie privée, tout cela je m'en moque.

Moi pas.

— Là n'est pas la question. Je ne veux voir en vous que l'écrivain.

Fort bien. Mais qu'est-ce que c'est, l'écrivain, séparé de tout ce qui l'environne, le conditionne, le nourrit? Un malheureux élève qui doit remettre une copie dont il sent déjà qu'elle ne sera pas satisfaisante, ou trop satisfaisante. Bien sûr il ne faut pas faire l'enfant. On sait bien, on sait trop bien ce qu'il faut répondre, après quinze ans de métier. C'est peut-être pour cela que c'est si ennuyeux.

Je sens monter en moi la somnolence qui m'envahissait à l'école; il y a toujours, ces longs jours blancs et tièdes, une mouche qui bourdonne quelque part, un marteau-piqueur dans la rue, une cloche très loin, et le temps s'étire, s'étire indéfiniment, le soleil chauffe à travers les stores, ou la pluie souligne cette éternité incolore... Et l'antipathie sans ardeur que j'éprouvais alors pour qui me tirait de ce non-être, je l'éprouve aujourd'hui pour cette jeune personne à lunettes qui veut si fermement que je sois raisonnable, que je classifie, que j'étiquette, que je décortique ces choses qui pour moi ne sont pas des livres, mais des petits moments de ma vie, de petits messages à la fois dérisoires et extrêmement sérieux envoyés un peu au hasard, comme des bateaux de papier dans un ruisseau — et j'espère, bien sûr, qu'ils arriveront, qu'ils sont arrivés, mais comme je continue, cela n'a pas non plus une énorme importance.

Elle va dire : « Pourquoi écrivez-vous? » Elle va dire : « Quelles influences avez-vous subies? » Elle va dire : « Dans votre premier, troisième, sixième livre, vous avez voulu... »

Je vaincs ma paresse, je force mes yeux qui se détournent, moroses, papillotants déjà, à se poser sur ce visage assez joli, ces yeux assez vifs, cette silhouette assez agréable, toute cette présence physique qui semble se nier elle-même, insister sur le fait qu'elle est purement accessoire, qu'il ne faut pas s'y fier, et que si elle se trouve là, au milieu de ces masques en papier, assise sur le lit radeau et discrètement offusquée par tant de couleurs, ce n'est qu'en tant que symbole, et que seules, les grandes lunettes rondes et le bloc-notes qu'elle tient bien serré ont une existence réelle; c'est à eux que je vais avoir affaire. Elle, où est-elle?

J'essaye de penser à la petite fille qu'elle a dû être, avec ses lunettes et son air sérieux. Peut-être avons-nous lu les mêmes poètes? Mais impossible aujourd'hui de sympathiser. Panne sèche. Je me sens cancre, avec une légère tendance à la mystification. J'ai envie de lui raconter que mon plat préféré est le lard fumé, que j'écris un roman policier, et que mon auteur favori est Paul Féval. Mais on ne peut pas faire ces choses-là. On ne peut pas parce que la moindre boutade se fige, que le moindre mot devient pierre et vous emprisonne dans une cellule qui est simplement encore un peu plus étroite, un peu différente d'une autre... Parce que personne ne peut comprendre qu'on puisse être sérieux sans se prendre au sérieux, parce que tout engage et que rien ne signifie, parce que... Il n'y a pas d'autre issue que la patience, la bonne foi, et une sympathie aujourd'hui un peu appliquée, qui sent l'effort. Que dirait Daniel devant le sourire forcé que j'arbore, et la bonne volonté laborieuse avec laquelle je m'enquiers du prénom de ma visiteuse — cela aide.

— Gabrielle, dit-elle, avec un petit mouvement de retrait, de ses épaules étroites. Pourquoi écrivez-vous?

— La première fois que j'ai eu envie d'écrire, c'était parce que j'avais lu une histoire qui ne me plaisait pas. J'avais neuf ans. C'était, je crois, dans *la Semaine de Suzette*. Cela s'appelait *le Diamant de Singapour*. Des savants anglais se rendaient aux Indes pour arracher au front d'un Bouddha mystérieux, dissimulé au fond d'une caverne, un précieux diamant vert. Leur guide, un « indigène sournois », un « fanatique », les trahissait, et ce n'est qu'après de multiples tourments (livrés aux crocodiles et sauvés *in extremis* par une jeune hindoue compréhensive; perdus dans la jungle et empoisonnés par le traître au moyen d'un curry — note de couleur locale — mais sauvés à nouveau par un petit boy dévoué, qui mourait ayant absorbé la plus grande partie du curry fatal, etc.) qu'ils parvenaient à regagner l'Angleterre, emportant le diamant, qu'ils allaient sans aucun doute déposer au British Museum, après avoir châtié le traître. Moi, j'aimais ce traître. Je ne voulais pas admettre qu'il fût qualifié par l'auteur de l'histoire de sournois et de fanatique. Cet homme, me semblait-il, était dans son droit en égarant ces Anglais qui n'avaient qu'à rester chez eux, et en défendant son « idole ». Je décidai, comme s'il s'agissait d'une histoire vraie (et toutes les histoires sont vraies) que l'auteur avait déformé les faits. Lakdar Mokri (je me souviens aujourd'hui encore de ce nom exotique) n'était ni lâche ni sournois. Il était beau, un peu barbare peut-être, et finirait par triompher. Il reprendrait le diamant au British Museum, et, frappés d'un sort magique, les Anglais mourraient les uns après les autres, maudits par Touthankamon (mes notions de l'exotisme étaient assez confuses).

» Ensuite, profondément émue par l'effort mental accompli pour réhabiliter mon héros, j'en tombais amoureuse. J'y pensais le soir avant de m'endormir. Je murmurais : « Lakdar Mokri », syllabes magiques. Je voyais un bel homme brun se pencher vers moi, et me remercier d'une voix un peu gutturale de l'avoir si bien compris. »

Gabrielle Lenoir rajusta ses lunettes sur son nez (elle l'avait petit et joli, un peu frivole même pour son visage sérieux) et me dit avec une sévère fermeté :

— C'est une anecdote.

— Oui ?

— Oui.

— Je n'ai pas d'auteurs favoris. J'ai un catalogue d'images, de mots, de couleurs. Une page de Paul Féval — parfaitement — dans *les Habits noirs*, m'a beaucoup frappée. Il y décrit un art bien oublié : celui des peintres en faits divers. Ces artisans, proches du monde forain, peignaient des sortes de bandes dessinées géantes, représentant avec réalisme les passages les plus émouvants des faits divers du XIXe siècle : l'assassinat de Fualdès, par exemple. Puis des conteurs parcouraient les villages, munis de ces illustrations, et contaient l'histoire sanglante, du mieux qu'ils le pouvaient, peintures à l'appui. J'aimerais bien parcourir ainsi les campagnes, et Jacques pourrait peindre les planches dont je me servirais, mais avec la concurrence des journaux du soir, je ne sais pas si...

— C'est une anecdote, dit Gabrielle Lenoir.

— Oui?

— Oui.

J'aime le nom de Lenoir. C'est celui que donne Marius à Cosette quand il l'aperçoit sans en être encore amoureux. M. Leblanc, c'est Jean Valjean, et Mlle Lenoir, c'est Cosette. J'ai beaucoup vécu parmi ces personnages de Victor Hugo.

— Oui, enfin, ce n'est pas ce qu'on peut appeler une influence.

— Qu'est-ce que c'est qu'une influence? Une page, une phrase, un personnage de second plan qui vous fait rêver?

— Non. Ça, c'est ce que j'appelle de l'anecdote.

Qu'elle est sévère avec elle-même, cette Gabrielle. Elle n'a pas les cheveux tirés en chignon, parce que c'est une jeune femme moderne, de vingt-huit ans, qui travaille pour des journaux modernes, pour la radio, pour la télévision, mais sa coiffure si parfaite, sa robe simple et ajustée, sa silhouette même, indiquent qu'elle ne se laisse jamais aller, qu'elle se tient sur ses gardes, qu'elle vit dans un milieu qui lui est étranger, presque hostile, et que le débraillé, la bohème, le pittoresque, tout cela, il ne faut pas y compter, avec elle, ça ne prend pas, ça glisse, la pluie sur l'aile d'un cygne, elle fréquente des écrivains, des peintres, mais elle va droit au fait, au cœur de la question, au centre de la création... Mais y a-t-il un centre à la création? Ou est-ce qu'elle est partout, éparse, proliférante, monstrueuse, signifiante et insignifiante, cette jungle parmi laquelle nous nous débattons sans boussole? Les deux sans doute. Je ne sais pas les mots qu'il faudrait lui dire. Ou je ne peux pas les dire.

— Gabrielle parlez-moi de vous. Peut-être arriverons-nous à quelque chose après.

Elle a un drôle de petit sourire qui lui tord un peu la bouche d'un côté — ce n'est pas laid — un petit sourire où il y a de l'humour, un peu d'amertume dominée, un joli courage sans emphase.

— Oh, moi... Il n'y a pas grand-chose à dire. Je suis une intellectuelle.

Je l'aime d'avoir dit cela. J'ai découvert qu'il y a un certain courage à dire cela, depuis que j'ai découvert — et je le lui raconte.

La honte d'écrire

Réunion politico-littéraire. J'y vais comme on se jette dans l'eau froide.

— Quelles sont vos connaissances? Voulez-vous faire un exposé? Quelle branche de l'édition avez-vous particulièrement étudiée? Enfin, qu'est-ce que vous savez faire?

— Moi?... Rien.

— Ah! bon. Commission idéologique.

J'y retrouve des écrivains bien sympathiques. Il se peut qu'ils ne sachent rien faire, comme moi, mais ils le cachent bien.

— ... nous autres écrivains, dit quelqu'un.

— Oh! Non! Pas écrivains! Dites plutôt, je ne sais pas, ouvriers du livre, par exemple.

— Pourquoi? (moi.)

— Il faut désacraliser la profession.

— Je ne trouve pas que nous soyons si sacrés. L'écrivain, l'intellectuel, est la tête de Turc des gens, en général. Même des autres intellectuels. J'ai toujours pensé qu'on pourrait à ce propos citer Figaro : « Aux vertus qu'on exige des intellectuels (désintéressement, immuabilité, infaillibilité), combien de P.D.G. seraient dignes de l'être... »

— Vous n'empêcherez pas que nous soyons des privilégiés.

— Dans une certaine mesure. Mais...

— ... des bourgeois...

Le grand mot est lancé. Là où on a dit bourgeois, on ne peut plus rien ajouter.

— Vous ne trouvez pas parfois que l'on emploie le mot « bourgeois » comme les nazis employaient le mot « juif »?

Les mots ont dépassé ma pensée. Cependant, je n'aime aucun concept racial, et avoir honte de ce que l'on est, bourgeois ou écrivain, ne me paraît pas la meilleure voie pour s'améliorer. Ces écrivains, si gênés par un métier qui en vaut bien un autre, finissent par me gêner aussi. J'aime bien mieux les petites réunions de section où il ne s'agit que de coller des affiches, de distribuer des tracts, et où on se préoccupe fort peu de savoir si l'on est écrivain ou pas.

— C'est donc que vous séparez tout à fait l'action politique de l'écriture? m'interroge un jeune homme à lunettes, qui a de beaux yeux veloutés.

— Je sépare... Rien n'est séparé. Ce que je pense politiquement, ce que je crois religieusement, se sent forcément à travers ce que j'écris, puisque c'est une totalité que j'essaie d'exprimer. Mais je ne suis pas maîtresse de ce que j'écris au point d'en calculer l'efficacité par rapport à la politique ou à la religion.

— En somme, vous vous assumez comme écrivain? interroge encore le beau jeune homme, l'air triste.

— ... Ben, oui...

Les bras lui en tombent.

Et je retrouve cette honte d'écrire parmi tant de manuscrits, de livres lus avec étonnement, d'y retrouver toujours des excuses, des biais, des combinaisons compliquées afin d'y éviter cet aveu honteux entre tous : j'écris un livre. Je raconte une histoire, je décris un paysage, intérieur ou extérieur, je juxtapose des couleurs, des mots, je parle, je suis dedans ou dehors, je communique, et parfois, je donne mon opinion sur ce que je vois, sur ce que je raconte, et parfois je n'en ai pas, je ne sais pas très bien ce que j'ai fait, je le regarde comme on regarde ses enfants si proches et si lointains : j'ai fait ce que j'ai pu, et maintenant, c'est à lui de jouer. Et aux autres à avoir leur opinion, à tirer leurs conclusions. J'ai fait ma part. Que cette part soit grande ou petite, ce n'est pas mon affaire, et cela me préoccupe bien peu. Mais en rougir, non, jamais.

C'est pourquoi j'aime Gabrielle quand, baissant son petit front buté, elle dit :

— Non, je ne suis pas mariée, non je n'ai pas d'enfants, je suis (et elle relève le front avec orgueil, sachant qu'elle s'expose à l'opprobre) je suis une intellectuelle...

Mais je n'aime plus Gabrielle quand elle dit :

— Je voudrais voir votre bibliothèque.

Car je n'ai pas de bibliothèque. J'en ai honte quand je vais — si rarement — chez d'autres écrivains, et que je vois sur leurs rayons, sagement alignés, les livres qu'il faut avoir, les Stendhal, les Sade, les Leiris, les volumes de la N.R.F. si propres et si usés (feuilletés souvent, mais sous la lampe, les mains propres, et jamais tombés dans un bain de mousse) et chez d'autres les Montaigne, les Henry James, les livres qui « font l'homme », qui créent une impression favorable... Moi, je n'ai pas de bibliothèque. J'ai des livres. Ce sont rarement ceux que j'aime, parce que ceux que j'aime, je les prête et on ne me les rend pas.

— Enfin, vous avez des auteurs favoris?

— On a toujours des auteurs favoris. On a eu le temps de les passer en revue, de les préparer, vous pensez, en quinze ans. Mais s'il faut parler sincèrement, mes auteurs favoris ressemblent à ma bibliothèque où un volume dépareillé de Montaigne perd ses feuillets entre les poèmes de Milosz, un roman policier, un Balzac relié tombé six fois dans la baignoire et un beau Baudelaire gagné à une tombola par Vincent. Par-ci, par-là il y a un groupe bien propre de romans reçus en service de presse et que je ne relirai jamais. Ainsi de ma mémoire. Outre Paul Féval, y errent une strophe de Villon, une chanson qui a trois siècles ou trois jours, une phrase de Bernanos, cent fois tournée et retournée comme un minéral précieux; dans une sorte de brouillard se dresse l'Eléphant de plâtre dans lequel dormait Gavroche, et voilà la douce nuit qui marche sous les arcades de la rue de Rivoli ou, dans un Biarritz désert, l'hiver régnant sur les sombres façades Napoléon III. Ou encore dans les salines du Croisic, dans le Guérande de Béatrix, le cornette Christophe Rilke me semble promener sa tristesse mélodieuse.

Mais quand on le dit cela devient : Vos premières influences ont été surtout nordiques, je vois, et la découverte de Balzac... A la fin on dit : Oui. Parce qu'on est fatigué, et parce que, bien sûr, pas d'anecdotes... On n'est pas *France-Dimanche*, et ne viens-je pas de dénoncer le pittoresque?

— Oui, mais est-ce que la poésie ne naît pas justement du choc entre ce pittoresque et le sens profond...

— Le chant profond?

— Si vous voulez, le chant profond du monde qui lui sert de contexte. Ainsi contrasté, un contexte sociologique ou politique ou psychanalytique, qui explique presque tout mais justement pas tout, pas cette petite étincelle de grâce, de liberté, ce tout petit hasard, pour employer de moins grands mots, cette petite part de jeu, au sens mécanique du mot, qui demeure tout de même, est-ce que ce sociologique, politique, psychanalytique, ces « explications », du fait de leur presque justesse, avec tout ce qui se glisse dans ce presque, ne sont pas aussi de la poésie, et...

Je croyais m'être élevée à sa hauteur, mais Gabrielle, d'un geste des mains, me fait signe qu'elle demande grâce.

Je m'excuse :

— Je voulais seulement dire que rien n'est dans l'anecdote, mais, si on a une unité, tout est dans l'anecdote.

— Je ne suis pas poète, dit Gabrielle avec une modeste arrogance qui lui va bien.

Oscar Brik ou Blek

Je ne sais pas moi-même si je suis « poète ». J'aime raconter. Raconter sans but, sans problèmes, sans message. Mais j'ai l'espoir qu'un but, un espoir, un message, passeront malgré moi, du fait que c'est moi tout entière qui m'exprime, dans cette histoire, dans ces images qui m'enivrent un peu.

Il faut bien reconnaître que c'est lorsque je réfléchis le moins que je raconte avec le plus de plaisir. Parlant un jour à ma nièce Thérèse (treize ans, un petit visage égyptien, et la curiosité aiguë et précise de Sherlock Holmes) je lui dis : « ... et il était velu, mais velu... comme Oscar Brik, qui descendait d'un ours. »

D'où vient cet Oscar inattendu? Je n'en sais rien. Du désir taquin d'intriguer Thérèse qui me pose toujours des questions qui me désarçonnent. Mais aussi d'un vague souvenir de Mérimée (Lokis) dans lequel je souhaite introduire un peu d'humour par ce patronyme d'Oscar, un peu de brume nordique par le *k* de Brik, et aussitôt, ce *k* posé, une vision de traîneaux, d'ours, de neige, un regard sur Milosz et le beau nom de Lituanie font s'agiter déjà dans la brume de mon esprit comme un bateau de dimension encore modeste mais prêt à prendre le large, le personnage d'Oscar Brik.

— Brik avec un *k*? demande sévèrement Thérèse, vrillant sur moi ses yeux en amande.

Je veux faire échec à cette inquisition.

— Brik avec un *k* ou Blek avec un *k*. On n'a jamais pu le savoir. Il était d'une très vieille famille lituanienne et l'une de ses grand-mères avait été enlevée par un ours, si bien que, dans les vieilles chroniques, on n'a jamais su si les Brik — ou Blek — étaient des hommes ou étaient un peu des ours. Pas plus qu'on n'a jamais su s'ils étaient des Blek qu'on aurait surnommés Brik ou des Brik qu'on aurait surnommés Blek.

— Je crois que le vrai nom c'est Brik, dit Suzanne, qui est la sœur jumelle de Thérèse et ne lui ressemble en rien.

— Je crois que c'est Blek, dit Louise, sœur cadette des précédentes, qui a un visage d'ange sous de longs cheveux d'or, et beaucoup de malice derrière cette angélique apparence.

Françoise la benjamine ne prend pas parti, et se

réserve de changer de camp selon les opportunités.

— Et il était bon ou méchant? demande la loyale Suzanne.

— Les deux à la fois, peut-être, dit Thérèse que ses lectures ont familiarisée avec l'ambiguïté de la nature humaine.

— Exactement. Il était double. Comme on n'a jamais su s'il s'appelait Brik ou Blek, on n'a jamais su s'il était bon ou méchant. On l'appelait Oscar le double.

Ainsi est né Oscar, et une interminable chronique qui dure depuis quatre ans. Chaque fois que nous nous trouvons réunies, mes nièces, mes enfants et moi, Oscar s'enrichit de nouveaux épisodes. Parfois un retour dans le passé permet de révéler quelque turpitude inconnue. Parfois un survol de l'avenir nous montre Oscar devenu ermite (mais est-il sincère?) et retrouvant ses enfants perdus, Hildegarde et Ildefonse, au fond d'un couvent autrichien. Oscar fait preuve d'un affreux mauvais goût dans ses multiples aventures. Après avoir plagié Mérimée pour l'origine, il connaît une enfance inspirée par Hector Malot, Rouletabille et Andersen : il voit à quatre ans ses parents dévorés par les loups au cours d'une promenade en traîneau, il recueille pieusement leurs têtes qui seront embaumées et placées dans des sacs en plastique qu'il n'abandonnera jamais; il est spolié par les méchants oncles de son manoir lituanien et de son titre de comte, devient cireur de chaussures, plaît à un milliardaire marchand de saucisses qui l'adopte. Son goût pernicieux pour Rocambole et Fantomas l'entraîne à assassiner son bienfaiteur, cependant qu'il forme une bande de malfaiteurs qui écume Paris. Un retour à de pieuses traditions le pousse à s'éprendre d'un ange, une orpheline visitée par les séraphins, qui l'aime. Un bref remords le visite, il entend retentir les cloches lituaniennes, et revient à une tradition médiévale pour vouer à la Madone l'enfant qu'Angélina porte dans son sein, et qui sera l'abbesse Hildegarde. Hélas! il revient à ses mauvaises lectures et prend l'habitude de jeter dans une piscine peuplée de murènes et de piranhas (il a trouvé l'idée dans *Tintin* les gens qui ne lui plaisent pas. Angélina révoltée le quitte et s'engage pour gagner sa vie dans une fabrique de savons passablement dickensienne, qui me permet de stigmatiser au passage les conditions sociales du travail au XIXe siècle. Elle meurt de faim cependant qu'Oscar enlève une cantatrice célèbre qui s'appelle aussi Angélina par une trappe qu'il a creusée dans le plancher de l'Opéra, au cours d'un spectacle intitulé *la Somnambule,* que je suis capable de chanter entièrement sur demande et qui se termine par un chœur inoubliable : « Somnambule! Somnambule! Elle a vécu ce que vivent les bulles! » (Thérèse qu'une légère méfiance reprend de temps en temps me demande à quelle date cet opéra a été représenté et au bout de combien de représentations Angélina Marmaduke a été enlevée. Je réponds avec assurance : « Elle a été enlevée le 4 mai 1904, au cours de la générale. » Elle dit : « Qu'est-ce que c'est qu'une générale? » Je réponds. Les parenthèses ne m'effraient jamais.)

Je lasserais — et je ne pourrais pas m'arrêter — si je contais jusqu'au bout les aventures d'Oscar, qui n'ont pas de bout. Mais je ne me lasserais pas. Cet été, la télévision en panne, je m'enfiévrais devant sept petits visages attentifs à poursuivre mon Oscar à travers ses avatars mystiques ou criminels, comiques ou poignants. J'allais, sans plan et sans intention, guidée par les questions, les objections, les frémissements de cet auditoire. Je faisais rire, et même pleurer. Je me sentais remplir parfaitement ma fonction.

Je dis à Jacques :

— Un jour, quand je serai vieille — quand j'aurai plus d'expérience — quand j'oserai — je voudrais écrire un immense livre de mille pages avec mille personnages qui feront tout ce qu'ils voudront.

— Pourquoi ne le fais-tu pas? dit-il.

— Ce ne serait pas convenable.

— Tu n'oses pas?

— Je n'ose pas.

Je n'ose pas être aussi sérieuse que je le suis. Je n'ose pas être aussi peu sérieuse que je le suis. Je n'ose pas prier autant que je voudrais, chanter autant que je voudrais, me mettre en colère autant que je voudrais, envoyer promener les gens autant que je voudrais, aimer les gens autant que je voudrais, écrire avec autant de force et de mauvais goût que je voudrais, avec autant de naïveté — et de pages — que je voudrais. Dans mes moments d'optimisme, je me dis : je n'ose *pas encore*. Après tout, je n'ai pas quarante ans.

Et pourquoi est-ce que je n'ose pas? Je veux être juste, je veux peser mes mots, je veux faire la part des choses, je veux la foi, la justice, la beauté — mais si je les vivais pleinement, je n'aurais pas besoin de les vouloir. Il n'y aurait plus d'anecdotes. Et le moindre fait divers serait inscrit dans l'histoire du monde — et Oscar Brik — ou Blek — exprimerait tout ce que je n'essayerais même pas d'exprimer.

Mme Josette raconte :

— Braque travaillait près de Van Dongen. A un moment il lui dit : « Passe-moi ta gomme. » Van Dongen lui répond : « Qu'est-ce que c'est une gomme? »

Mme Josette voit beaucoup d'orgueil dans ce propos. J'y vois beaucoup d'humilité.

— Il se croyait parfait.

— Il acceptait son imperfection, comme une part de l'ordre du monde.

C'est peut-être la même chose? Mais j'en suis encore à la gomme.

⁂

Auteurs et manuscrits

Ecrivain, je réfléchis sur moi-même. Lecteur, je suis de l'autre côté de la barricade. Je m'y sens mal à l'aise.

J'ai parlé de cette vieille dame qui me persécutait, me tirant à onze heures du soir de mon premier sommeil pour me reprocher d'avoir refusé un manuscrit de son fils « authentique génie ». Depuis quelques semaines, je suis à nouveau poursuivie par un vieil antiquaire, qui brûle de me montrer le manuscrit « plein de promesses » de sa « protégée », la jeune Dominique. Coup classique. Je réponds évasivement. Qu'elle envoie son manuscrit, je le lirai. Mais ce qu'elle veut, ce qu'ils veulent, c'est me *voir*. Je ne suis pourtant pas bien célèbre, mais cela suffit, apparemment, pour qu'un certain nombre de personnes désirent me contempler, comme un monument, et sans que cela aille plus loin. Je me souviens qu'une dame d'aspect effacé, m'ayant arrêtée dans un Prisunic me demanda : « Vous êtes bien Françoise Mallet-Joris? — Oui, madame. — Ah! » et elle me contempla longuement, de la tête (hirsute, par malheur, ce jour-là) aux pieds, sans ajouter une seule parole, sans gêne pourtant, ni timidité, en prenant son temps. Cela m'avait agacée prodigieusement. L'insistance de Dominique et de son vieil ami tombait mal. J'étais débordée de travail; après Pauline, Alberte faisait cette « coqueluche rentrée » si éprouvante pour les parents; mon livre n'avançait pas, mais la pile de manuscrits et de factures à côté de mon lit augmentait. Le téléphone sonnait sans arrêt (une fois sur deux c'était l'antiquaire auquel je répondais d'une voix flûtée que ma maman n'était pas là). Puis ce furent des pneumatiques, d'un ton de plus en plus pressant et presque dramatique. Il me suppliait, me conjurait : une heure! une heure seulement! c'était pour lui d'une *importance capitale.* Il soulignait deux fois, en rouge. Il m'envoya des hortensias.

J'eus honte. Je ne suis pas, d'habitude, difficile à atteindre. Je reçois volontiers des auteurs. Un vieux Russe blanc m'exposa plusieurs fois ses conceptions religieuses, qui s'inspiraient du caodaïsme. Un philosophe arménien me lut un interminable factum que je déclarai remarquable, n'y ayant rien compris du tout. Les amis de Daniel se font un devoir de me soumettre leurs essais, tant il est vrai qu'en France tout commence par la littérature, et je me fais un plaisir de les lire. Une certaine curiosité, un espoir parfois récompensé, m'incitent à répondre aux lettres qui sur papier quadrillé me déclarent que leur auteur a des révélations importantes à me faire. Un jeune marxiste m'apprit beaucoup : nous échangeâmes plusieurs lettres sur des thèmes métaphysiques. Une jeune fille de l'Ardèche me demanda des recettes de sorcellerie, car elle aimait en vain. Des curés de campagne m'écrivirent des pages charmantes sur les vertus anciennes des plantes et sur l'alpinisme. Des missionnaires me demandèrent des livres. Un fou qui se croyait persécuté par son commissaire de police me demanda des conseils.

J'échangeais avec Isabelle, une amie qui veut bien me servir parfois de secrétaire, un regard de stupeur amusée.

— On répond?

Isabelle qui est la bonté même avait un air de tendre pitié.

— Cela prend si peu de temps...

On répondait. Parfois, la disparité de ces correspondants me donnait l'impression d'être une voyante, plutôt qu'un écrivain. Je me demande s'il n'y a pas là une possibilité de reconversion pour mes vieux jours. Un signe. Un jour une dame vint. C'était, bien entendu, une entrevue de « toute première importance ». Elle ne pouvait me faire que de vive voix une révélation grave.

— Il faut que vous me tiriez d'affaire.

— Je ne demande pas mieux, mais...

— Voilà. Ça a l'air idiot, mais... je m'ennuie.

— Ah!

C'est tout ce que je trouvais à répondre. Un peu fâchée, tout de même. Je ne suis pas une agence de spectacles, un cirque. La dame, trente-cinq ans, élégante et quelconque, se mit en devoir de m'expliquer que son ennui — sans quoi elle ne serait pas venue me déranger, pensez! — n'était pas l'ennui de tout le monde. Un ennui au sens du XVIIe siècle, presque. Rien, absolument rien n'avait pu l'en sortir jusque-là. Et alors, assistant à une petite conférence que j'avais donnée pour une œuvre, elle s'était mis en tête que moi, et moi seule, pourrais la tirer de cet ennui. Elle attendait un oracle définitif qui allait sortir de mes lèvres. La voyante, je vous dis.

— ... parce que je me suis dit, elle a des enfants, cela doit l'ennuyer beaucoup...

— Mais non, mais non...

— Et vous avez dit que vous lisiez des manuscrits, cela doit être bien fastidieux...

— Mais non, mais non...

— ... Vous avez donc certainement un moyen, un système...

Pourquoi pas un philtre ? Enfin, il n'y a pas de sots métiers. J'avais interrogé cette dame. Je m'étais même passionnée pour ce cas insoluble. Car elle ne manquait pas d'argent, son mari était « supportable », ses enfants « en bonne santé », elle possédait « une certaine culture »... Elle aurait voulu s'occuper, mais elle ne voulait s'engager dans aucune action qui eût un sens religieux, ni politique. Les arts ne l'attiraient pas. Elle répugnait aux bonnes œuvres : les enfants la fatiguaient, les adolescents l'effrayaient, les vieillards la dégoûtaient. Elle n'avait ni compétence particulière, ni goût particulier pour un certain ordre d'occupation. Ni besoin d'argent. J'avoue qu'un tel dénuement m'intéressa. Elle n'avait pas de vice non plus. Après quelques entrevues, je dus la décevoir, elle me quitta sur ces mots désabusés :

— Enfin, cela m'aura toujours fait passer un peu le temps.

Eh bien, encore que « cela » (ces entrevues vaines, vides où j'essayais de comprendre ce morne non-être dont elle ne souffrait qu'à peine, cet à peine, qui était le seul point vivant de sa non-existence, ce frémissement sur l'eau plate, sans forme et sans couleur) m'ait fait, à moi, perdre du temps et non le passer, un certain intérêt m'était venu pour elle comme pour un spécimen rare, un minéral sans beauté, terne et mort, mais dont on m'eût dit que c'était le seul, sur des millions, qui fût terne et mort à ce point-là.

Alors, pourquoi pas le vieil antiquaire ? Pourquoi se ferme-t-on tout à coup, se révolte-t-on contre cette intrusion constante du monde et des autres, se sent-on, vide de générosité et de patience, propriétaire de son moi? Peut-être était-ce l'écriture vulgaire, le papier prétentieux, le style, ampoulé, qui me rebutaient. Le procédé qui consistait à m'inonder de fleurs et de points d'exclamation, me paraissait déplaisant. Je m'obstinai. Il s'obstina. Je lâchai pied tout d'un coup. J'avais perdu beaucoup plus de temps à refuser cette entrevue, à vrai dire, que je n'en aurais perdu à l'accepter, le premier jour. Sans compter qu'au téléphone, j'avais pris la peine de travestir ma voix successivement en Espagnole simple d'esprit, en enfant de douze ans, en secrétaire zélée et, en désespoir de cause, en adolescent à voix de rogomme. « J'suis un copain de Dan. J'sais pas où ils sont. » Mais je défendais un principe. Suis-je un psychiatre? (« Cela lui fera un tel bien de vous voir », écrivait l'ennemi). Une succursale de la Bourse pour les vocations? Une orienteuse professionnelle? (« Elle » n'était pas sûre de sa voie, devait me consulter avant de s'engager dans une carrière que, une carrière qui...) Suis-je la tour Eiffel? (me « voir » leur aurait fait un tel plaisir, à la télévision ce n'était pas ça). Et puis, sur un dernier assaut, épouvantée par la surenchère à laquelle se livrait mon antiquaire, et qui donnait le sentiment qu'il allait venir s'arroser d'essence devant ma porte (il était venu, au dire des enfants se poster plusieurs fois sur le seuil) mes principes cédèrent. Aussi bien ce n'était qu'une crise. Ce n'est que sans principes que je me sens tout à fait moi-même. Je donnai un rendez-vous.

— J'étais bien sûr que tu les verrais, dit Jacques, philosophe.

— Et pourquoi?

— Oh... refuser quelque chose, ça ne te ressemble pas, fait-il tout en maniant le pinceau.

Ça ne me ressemble peut-être pas, mais l'ennui, c'est qu'il est si rare qu'on se ressemble.

J'y vais, le sentiment du couteau sur la gorge. L'angoisse des êtres que l'on pressent ennuyeux, banals, l'effort de paraître écouter, comprendre, la déception à infliger presque fatalement, et pour finir, la rancune de ces « admirateurs » pour lesquels on se prenait, à la longue, d'un peu de sympathie.

Au premier abord, encore pis que je ne l'avais supposé, l'antiquaire. Il a au moins soixante-dix ans, avec ce côté bébé mongol de ceux qui se sont fait tirer la peau. Mais il doit y avoir longtemps. Cette peau sèche et trop fine plisse un peu sur le front, poche un peu sous les yeux... « Va te faire remettre à neuf », dirait Pauline. Il a une chevalière à la main gauche, une cravate à pois, et il sourit constamment, découvrant ses dents et renversant la tête en arrière comme un homme politique, contraint de se montrer enjoué et cordial jusqu'à l'automatisme. En fait il est composé de deux êtres qui se disputent le devant de la scène et alternent d'une façon surprenante : une vieille jeune fille de bonne famille, avide de relations, minaudante, écrivant sans doute des vers en secret; et un politicien véreux, roublard, « pas dupe » et qui croit que tout s'achète. Ces deux personnalités se succèdent à une vitesse qui donne le vertige.

— J'avais une telle envie de vous rencontrer! Tant de points communs! Une qualité d'âme! Mais je crois bien que nous nous étions déjà vus chez les... à un cocktail donné en l'honneur de... (Ici la transition entre la vieille jeune fille et le politicien se fait par un sourire qui du coquet passe au jovial, d'une voix qui descend de plusieurs octaves.) Mais si! Mais si! Deux vieux Parisiens comme nous doivent se connaître, se connaissent! Je le disais à Dominique : laisse-moi faire; tu veux la rencontrer, tu la rencontreras! Je la connais, elle est si gentille! Elle aime les jeunes, elle aimera ton livre.

Je vous avais un peu perdue de vue, depuis votre petit appartement de... de...

— Du Panthéon, dis-je machinalement.

— C'est cela, du Panthéon. (La voix remonte, le sourire s'affûte.) Quel délicieux quartier! Cette ambiance de jeunesse, de bohème, d'ailleurs moi-même, je vous l'avais dit je crois, j'écris. Oh! bien modestement, pour *le Courrier normand, la Gazette de Birn-Lichtli,* en Suisse, des critiques littéraires, j'essaie d'y mettre, d'y exprimer, des poèmes aussi, des interviews, je fais mon petit Sainte-Beuve, oh! tout à fait, tout à fait provincial, c'est de la tapisserie, du petit-point pour initiés, le petit noyau des Verdurin. Ah! ah!

Le rire flûté, de nouveau, avec une virtuosité de prima donna redescend d'une octave, et passe de l'afféterie à la vulgarité par une série de nuances — ironie charmante de sa propre érudition (soprano) — complicité avec moi (médium) — on va s'entendre, il y a toujours moyen (baryton, basse) — d'ailleurs, je peux vous dire que vous êtes très lue là-bas (à Birn-Lichtli?), très appréciée. Je prépare deux articles sur vous, où je pulvérise les autres écrivains femmes, mais alors, littéralement. Pour moi, vous êtes un homme, absolument, un homme! (légère remontée vers le soprano.)

Etant donné le genre du monsieur, cette déclaration ne me rassure nullement. Je commence à me demander aussi si mon oreille n'a pas fourché et s'il ne s'agit pas d'*un* jeune protégé plutôt que d'*une*.

— Et je le dis! Je l'écris! Je suis un de vos supporters les plus farouches. Dans mon prochain article sur vous, une page entière, six colonnes, je vous défends absolument contre certains, qui prétendent que Françoise Sagan, si elle n'a pas votre imagination, est meilleure styliste. Ah! Je leur ai passé un de ces savons, vous verrez cela!

— C'est bien gentil à vous, dis-je dans un souffle, toujours stupéfaite de la façon dont on arrive à paraître l'obligé de gens auxquels on n'a jamais rien demandé.

— Rassurez-vous, poursuit le politicien, vous avez vos fidèles, parmi lesquels je me place. Une petite phalange d'amis dévoués peut parfois soutenir un écrivain plus efficacement que...

Je crois que je suis sur le point de dire quelque grossièreté à l'ami dévoué, quand, par hasard, mon regard se pose sur ses chaussures (un peu déteintes, très soigneusement astiquées), remonte le long du pantalon bleu marine, brillant le long du pli, qu'il doit repasser lui-même. Le veston coquettement étriqué, la cravate en lacet de chaussure, en prennent une tout autre signification. Ça ne doit pas marcher très fort, l'antiquité, en ce moment. Je me promets de manger peu. Et voilà « Dominique » qui vient nous rejoindre. Elle n'est pas du tout ce que j'attendais. C'est une jeune fille frêle, pâle, avec de grands yeux myosotis, qui me rappellent Lilian Gish, le Lys brisé du muet. Et quand le Lys ouvre la bouche, c'est la voix d'un chauffeur de taxi parisien qui en sort, pleine de saveur mais surprenante. Décidément deux boîtes à surprise.

— Alors, ça va vous deux? V'sêtes bien retrouvés? éructe Lilian Gish.

— Mais certainement, nous avons renoué des liens qui... des liens que..., minaude l'antiquaire, dont le raffinement semble s'accentuer par contraste, ôte ton boléro, ma chérie, et laisse-nous quelques instants encore, j'interrogeais notre amie, quelques précisions pour la *Gazette de Birn-Lichtli*...

— J'm'en mêle pas, dit l'enfant, visiblement impressionnée et tortillant ses anglaises du bout du doigt... J'suis pas une littéraire, chouchou, quoi qu'tu en dises...

Je commence à en avoir vraiment plein le dos de Birn-Lichtli et de cette piteuse comédie. Les « Que pensez-vous de la condition féminine à l'heure actuelle? », les « Y a-t-il encore une spiritualité moderne? », les « Aimez-vous réellement les romans de Françoise Sagan (ou de Simone de Beauvoir) ? », et j'en passe, sur l'éducation des enfants et la messe en latin, sur le nouveau roman et l'engagement politique, tout cela a cessé de m'amuser depuis longtemps. Et même de m'exaspérer. Une lassitude, une grande lassitude désespérée m'envahit devant ces questions auxquelles personne ne croit, qui n'intéressent personne (pas même mes admirateurs de Birn-Lichtli) et auxquelles on me demande seulement de répondre automatiquement n'importe quoi, qui puisse s'enregistrer, ou s'imprimer, et fournir trois minutes, ou trois colonnes au flot de bruit ou au torrent de papier dont il faut bien qu'il coule, puisque tant de gens en vivent... Je réponds. Je réponds. Je réponds même sérieusement en pesant mes mots, je réponds à quelqu'un qui n'est pas là, qui comprendrait, et parce qu'il est, tout compte fait, moins triste et moins ennuyeux de faire sérieusement les choses.

Et les yeux d'un bleu de fleur démodée — on ne saurait leur donner que des noms d'autrefois : pervenche ou myosotis ou ancolie — de l'enfant se posent sur ce vieil homme affecté, minaudant minable, avec une admiration, une tendresse filiales.

— T'es épatant, chouchou!

L'évidence est là, tout à coup, à travers le veston luisant, le vocabulaire, cette comédie de troisième ordre : ces êtres s'aiment, s'appuient l'un sur l'autre, ont besoin l'un de l'autre.

Et comme si cette lueur de sympathie, ils la percevaient, voilà qu'ils me racontent leur histoire, banale, touchante comme un feuilleton d'autrefois. Elle, est la fille de sa concierge. Le père ivrogne, l'abandonne. Elle interrompt ses études, devient coiffeuse, subvient aux besoins de sa mère impotente, qui meurt enfin. Seule au monde, son « vieil ami » la prend sous son aile, « dirige ses lectures », trouve là le foyer que, hélas ! il n'a pu fonder, et la consolation de ses déboires. Eh oui, une lamentable « affaire de faux » l'a obligé à vendre son élégante boutique du Palais-Royal et à reprendre après une « épreuve » de deux ans (euphémisme que je crois comprendre) un petit commerce moins coté, rue du Faubourg-Poissonnière. Mais il a conservé ses relations, ses amis d'autrefois, c'est pour lui un baume.

— Oui, interrompt la petite, ça lui a fait un tel bien que vous acceptiez de le revoir. Il n'osait pas, il se disait : « Maintenant qu'elle est si connue, elle ne se souviendra peut-être pas... »

Une brusque gaieté m'envahit, ma sympathie a crû depuis que m'est révélée la « lamentable affaire de faux ». J'ai une certaine attirance pour les escrocs.

— Mais il fallait oser ! dis-je soudain saisie du goût de la mystification. Rappelez-vous vos visites rue Royer-Collard, quand vous faisiez sauter Daniel sur vos genoux !

Le coup d'œil qu'il me lance, piteux, complice, avec un peu d'humour triste, est un chef-d'œuvre. Je ne regrette plus mon temps. Après tout, si j'ai pu leur faire un petit plaisir, à ces deux-là ! Lui, si désireux de l'éblouir, elle, si sensible à ce luxe, le seul qu'il puisse lui offrir, de la présence de quelqu'un qui a eu son nom dans le journal, sa tête à la télévision.

Le livre... C'est un recueil de poèmes, auxquels le « vieil ami » a dû mettre la main. Ce texte fade et éthéré ressemble à ses yeux plus qu'à son langage. Bien entendu il est impubliable.

Lui :

— J'ai quelques économies, sauvées du désastre. Croyez-vous qu'à compte d'auteur...

— Les comptes d'auteur, vous savez... Enfin, je vais voir, essayer...

L'enfant s'illumine d'une joie qui la fait presque belle. Etre imprimée ! Et grâce à lui ! Ils se regardent, se serrent les mains.

— J'étais bien sûr... Je connais la valeur de Dominique... Ah ! ce n'est pas une de ces jeunes filles qui... Un filet d'eau pure, une fraîcheur... Cela tranchera sur cette littérature actuelle qui...

Comme nous avons besoin de croire à la pureté ! Il n'y a aucune ironie dans cette voix qui tout à coup, cassée d'émotion niaise, est une voix de vieillard. Et pourtant, j'en jurerais, il est, ce vieillard pomponné, de ceux qui tournent le soir, avec une humilité sournoise, autour des édicules de Saint-Germain-des-Prés...

— Je ferai ce que je peux. Ce que je peux.

Ce ne sera pas grand-chose. Que faire pour des poèmes lamartiniens qui eussent pu (je suis gagnée par leur abondance en subjonctifs — elle en est si fière, la petite coiffeuse — ce sont des subjonctifs « promotionnels » comme on dit maintenant) qui eussent pu être écrits par ma grand-mère ? Je suggérerai quelques corrections, j'essaierai de leur éviter de débourser une trop forte somme... Ce sera toujours ça...

En rentrant de cette entrevue, je me suis reproché ma dureté de cœur. Pourquoi m'être obstinée si longtemps ? Suis-je si précieuse que je me réserve, comme une denrée de choix, à ceux qui me méritent ? Et au nom de quoi jugerais-je indignes de ma présence « Chouchou » et son Antigone ? Encore toujours la ménagère qui reparaît. Apprendre à gaspiller, son temps, sa présence. Si c'est de l'or, tant mieux pour les autres. Si c'est du sable, tant mieux pour moi, qui me donne à peu de frais l'illusion de la largesse.

L'histoire de Chouchou est d'ailleurs une histoire triste. La petite coiffeuse est en sanatorium. Chouchou, pour une « lamentable histoire » de télévision achetée à crédit et revendue au comptant, subit une nouvelle « épreuve » de huit mois. Le petit livre de poèmes, paru aux Editions du Scorpion, est devant moi. Quelqu'un dit :

— Je me demande pourquoi tu gardes des niaiseries pareilles.

— En souvenir d'un vieil ami.

***

Dominique. — Oh! Chouchou, il m'a tout appris, l'orthographe, la politique... Nous, on est royalistes, pas, Chouchou?

Chouchou. — On dit : n'est-ce pas.

***

Moi. — Il y a quatre ans, quand j'étais si déprimée...

Ami écrivain. — Qu'est-ce qui t'a remise sur pied?

Moi. — J'ai lu avec beaucoup de profit *le Livre du bonheur,* de Marcelle Auclair.

L'ami. — Oh! Ne dis pas ça, malheureuse! Ne dis pas ça!

C'est tout juste s'il ne se retourne pas pour voir si un espion littéraire et caché n'a pas pu entendre cet aveu.

L'ami. — Tu ne te rends pas toujours compte,

mais on se fait vite cataloguer. Un écrivain ne peut pas dire n'importe quoi, tu sais.

Moi. — Dommage.

***

Télévision

On a fait sur elle une émission. Jacqueline, trente ans, six enfants. Vit dans une H.L.M. « coquette », au milieu de terrains vagues, moins coquets. Comment s'en tire-t-elle? Emission féminine. Présence féminine nécessaire : la mienne. Je pose des questions. Avec douceur, avec respect. Elle le mérite, cette Jacqueline si fluette, vaillante, gaie même, qui se débrouille, s'en tire, expressions bien modestes pour qualifier le travail de géant qu'elle accomplit dans son trois-pièces bien astiqué, au lino impeccable, à l'évier impeccable, aux enfants impeccables.

Ce fut, je crois, une bonne émission. Nous étions tous (cameraman, réalisateur, électricien, ingénieur du son) gentils avec elle. Elle n'était pas mécontente de nous avoir là, ça faisait du changement. Les enfants nous aimaient bien, nous leur apportions des bonbons, et un dictionnaire à l'aînée, dont elle avait toujours rêvé. Nous avions beau encombrer l'appartement minuscule avec nos câbles, nous étions bien reçus, Jacqueline, tout en frottant, lavant, astiquant, repassant, nous répondait, détendue, contente d'être filmée, pas trop pourtant. Naturelle. Simple. Chacun son métier.

Après la diffusion de cette émission, Jacqueline a reçu pendant un certain temps des lettres de sympathie, des cadeaux pour les enfants, petites choses qui lui ont fait plaisir, qu'elle a reçues avec la même simplicité, le même naturel.

Claude, le réalisateur, aurait voulu qu'elle refusât, qu'elle s'indignât. Pourquoi l'aurait-elle fait? Elle n'était pas révoltée, elle n'avait pas le temps, tout occupée à accomplir son œuvre, ne voyant pas plus loin que cette propreté, cette impeccable routine, qui était son honneur à elle, sa création.

— Mais elle devrait être révoltée, dit Claude.

— C'est nous qui devrions l'être.

Elle n'était pas malheureuse. Soucieuse, mais comme on l'est quand toute la vie est entièrement, définitivement, donnée. Elle ne se comptait pour rien dans ses soucis. C'était les études de l'un, la santé de l'autre, et toujours ces parquets, ce linge, l'argent... Pas mesquine, non plus. Un peu dure pour les autres, celles qui ne s'en tirent pas, qui ne savent pas s'arranger, qui boivent, qui courent, qui veulent avoir une vie à elles. On m'a dit que cette émission était déprimante. Jacqueline, elle, n'était pas déprimante. Paisible, comme ceux qui vivent pour autre chose qu'eux-mêmes. A double tranchant, l'émission. Réconfortante, en ce que Jacqueline vit dans la paix et un sacrifice presque inconscient, une situation dure. Déprimante, parce qu'il n'y a pas un être sur cent qui serait capable de la vivre ainsi, et qu'il y a des centaines d'êtres qui s'y trouvent confrontés. Ainsi le sens de la joie est inséparable du sens du malheur. Il n'est pas tolérable qu'existent des situations dont on ne puisse sortir qu'en s'abdiquant.

— C'est une sainte, dit Roger, le cameraman.

Ce serait une sainte si, tout en l'acceptant, elle sentait l'injustice de sa situation. Elle ne la sent pas. Le vrai malheur, c'est qu'il vous ôte la propriété même de vos vertus. Quand Jacqueline condamne les autres, celles qui suffoquent dans l'H.L.M. en béton, isolée au milieu des terrains vagues, qui étouffent entre le linge et la cuisine, et qui tentent de si pauvres évasions, l'alcool, la fuite (elles reviennent, six mois, un an plus tard, un autre enfant, un autre maillon de leur chaîne, sur les bras ou dans le ventre), Jacqueline est complice de la société qui l'oppresse. Mais quand Claude nie cette réussite sereine, ne pèche-t-il pas contre l'esprit?

*
* *

Quelqu'un dit :

— Demandez-lui donc si elle se maquille, si elle attache de l'importance à son maquillage.

— Ecoutez, non, ce serait indécent.

— Mais non, je vous assure que cela ne la gênera pas.

Cela ne la gêne pas. Elle répond, sereine. Mais moi, cela me gêne.

*
* *

Jacqueline ne manque pas d'humour. Elle nous raconte son mariage.

— Il (son futur mari) était orphelin, et sa sœur ne faisait pas une fameuse cuisine. Alors il venait manger chez mes parents, tous les soirs. Au bout de six mois ils ont dit, mes parents : « Tant qu'à le nourrir, épouse-le, ça ne sera pas plus cher. » Et on s'est mariés.

*
* *

Jacqueline, surchargée de besogne, dont le mari rapporte de l'usine un maigre salaire et des maux de tête intolérables, a pourtant sa coquetterie. Elle habille ses plus petits en blanc, un blanc immaculé, provocant, scandaleux. Elle n'a pas de machine à laver, Jacqueline. On lui dit :

— Du blanc! Vous êtes folle!

Elle sourit, son premier sourire de femme, malicieux, avec un joli défi dans les yeux.

— Ah! C'est comme ça.

C'est son luxe, son paraphe, sa fioriture que l'artiste ajoute au bas d'une toile, d'une œuvre, pour rien, pour le plaisir. Elle ajoute :

— Il faut bien faire une petite folie, de temps en temps.

*
* *

Télévision encore

Nous déménageons. Pauline se désole de perdre son petit camarade de jeu, Pierre, qui habite dans la cour.

Pauline (se tordant les mains avec véhémence). — Pierre! Mon Pierre! Mon adoré petit Pierre bien-aimé! J'en perdrai la vie!

Je lis, ou tente de lire, un manuscrit sur mon lit.

Moi. — Pauline, tu es ridicule.

Pauline. — Je l'aime. Si je le quitte, nous mourrons tous les deux!

Moi. — Qu'est-ce qui te donne ces idées ridicules?

Pauline (quittant toute exaltation). — C'est la télé. C'est très mauvais pour les enfants.

*
* *

Bandes dessinées

Sortant de chez Grasset, j'attends l'autobus, à Sèvres-Babylone, en lisant le journal de *Spirou,* que j'achète chaque mardi pour mes enfants. Une vieille dame s'approche de moi :

— Mon enfant! Quand il y a tant de bons livres!

*
* *

La nouvelle maison

Quand nous serons dans la nouvelle maison, Pauline aura de l'ordre et Alberte pourra faire ses gammes tranquillement. Quand nous serons dans la nouvelle maison, Dolores, elle nous le promet, disposera enfin d'assez de placards pour « s'organiser ». Les animaux seront disciplinés, certains même supprimés. Les bibelots subiront une sélection sévère. Je répondrai à mon courrier en retard et je ne perdrai plus les manuscrits. Daniel aura sa chambre et y recevra en paix ses amis sans nous déranger. Vincent aura un nouveau bureau et fera moins de taches sur ses vêtements et sur ses devoirs. Nous recevrons des gens normaux. Qui ne s'installeront pas chez nous, et ne joueront d'aucun instrument. Nous aurons deux salles de bains.

— J'aurai enfin un intérieur, et vous aussi, me dit cordialement Dolores. Nous nous rangerons.

Elle fait dans cette attente emplette d'un poste de télévision à crédit et d'une robe de chambre en velours mauve.

— Je n'aurai plus que des amis sérieux, et je ne les recevrai pas chez moi.

Quand nous serons dans la nouvelle maison, Jacques ne dessinera plus jamais à minuit, en chemise, au pied du lit, à la lueur d'un projecteur. J'aurai une vaisselle intacte, toute neuve. Des rideaux seront suspendus aux fenêtres, il y aura des porte-serviettes près des lavabos, et je rangerai ma bibliothèque. J'inviterai telle et telle « relation utile » que je n'ai jamais osé convier à partager nos repas mouvementés du Panthéon. Nous aurons des tas de paniers à linge et ne réenfilerons pas distraitement des pantalons pleins de peinture et des jupes dont l'ourlet se défait. Nous...

— Tu sais, dit Jacques un jour, comme je rêve tout haut, nous y *sommes,* dans la nouvelle maison.

Du moins peut-on dire encore aux gens qui ne nous connaissent pas très bien : « Excusez-nous, nous venons de déménager. » Nous le disons depuis deux ans. Je crois qu'on peut encore tirer six mois comme ça. Après, ça deviendra grave.

*
* *

L'écumoire

Dolores saisit l'écumoire, dont l'inclinaison (calculée par le fabriquant pour recueillir le liquide que l'on veut, justement, écumer) a été aplatie par le tiroir, trop bas, dans lequel elle la range. D'un petit coup de la main, pif ! elle redresse le cercle d'aluminium. S'en sert. D'un petit coup de la main, paf ! elle raplatit l'écumoire pour la ranger. En une douzaine de pif ! paf ! l'écumoire malmenée se brise. Il faut la remplacer.

— C'est fou ce qu'elles ne sont pas solides, dit Dolores. C'est vrai que si elles étaient solides, je ne pourrais pas les ranger.

Briseuse de verres, incapable de se servir d'un liquide sans en renverser la moitié, couverte de plaies et de bosses, de colle, d'encre et de couleurs, éparpillant ses repas autour d'elle, courant, criant, trébuchant, tombant, hurlant, chantant, riant et pleurant à la fois, au point qu'il est impossible de dire ce qui sépare chez elle le fou rire du sanglot, Pauline a été honorée par les garçons d'un nouveau surnom : « Po-po Catastrophe ». Elle en est ravie.

— Si je deviens chanteuse, ce sera mon pseudonyme, dit-elle.

Jeunes gens

Pourquoi Daniel ne prêterait-il pas, pourquoi même ne donnerait-il pas ses pull-overs, ses pantalons, ses disques, ses livres, à de vagues amis d'amis, qui se trouvent en avoir besoin? Pourquoi Daniel ne dormirait-il pas à la dure sur un tapis, alors que son lit est occupé par ce camarade « en panne »? Pourquoi la chambre de Daniel ne servirait-elle pas de refuge, de parloir, de cantine, de discothèque, à des passants de tous âges et de toutes couleurs? Pourquoi n'ouvrirait-il pas le frigidaire à qui se trouve chez lui, à minuit, avec une petite fringale? « Habiller ceux qui sont nus, nourrir ceux qui ont faim. » « Ils font tous cela », me dit une dame qui a un fils du même âge. « C'est tout de même désagréable d'acheter pour son fils un pull-over en poil de chameau et de le retrouver deux jours après avec un surplus américain tout délavé! » Mais « l'homme n'est-il pas plus que le vêtement »? Et le meilleur de ce que nous pouvons donner à nos enfants, est-ce vraiment un pull-over en poil de chameau? Parfois un vertige me prend. Vivons-nous au rebours de l'Evangile? Daniel — et ses pairs — devraient-ils être nos modèles au lieu d'être l'objet de nos soucis? « Ils ne tissent ni ne filent, mais croyez-moi, dans toute sa gloire, Salomon n'était pas mieux vêtu qu'eux. »

Je pense à cela un après-midi, dans un petit café de la rue de Buci, où j'attends un ami. Il y a là une bande de jeunes gens dont certains sont pieds nus, d'autres couverts de pendentifs de verroterie; des blue-jeans délavés côtoient des chemises à fleurs et des tuniques exotiques. En un langage cru, ces jeunes gens critiquent un prêtre de l'église Saint-Séverin qu'ils ont aperçu dans un restaurant, en train de « s'empiffrer ».

— Tu crois que Jésus, il mangeait de la viande? D'abord il est allé aux Indes, c'est prouvé. C'était une espèce de guru, Jésus. Un prêtre, il devrait se cacher pour bouffer comme ça, je te dis.

— Si on se cache, on se refoule, dit doctoralement

une fillette qui a peut-être quatorze ans, jolie comme une fleur peinte.

— On devrait jeûner comme autrefois, comme les musulmans, tiens, quarante jours...

— Avec ça que tu jeûnes, toi.

— Je ne me goinfre pas, toujours.

— Mais tu bois.

— Ce n'est pas pareil, je bois pour trouver une autre dimension, comme je fume.

— Si Jésus avait vécu de nos jours, il aurait pris du L.S.D.? dit une prêtresse orientale, un point d'argent entre les yeux faits.

— Sûrement!

— Sûrement pas!

Deux barbus s'affrontent.

— Il n'avait pas besoin de ça. Le verbe...

— Mais quand il parle des lys des champs, ça veut dire...

Les revoilà, mes lys des champs. Il faut avouer qu'on les met à toutes les sauces. Et les lieux communs vont défiler, Jésus était un guru, un beatnik, il ne se préoccupait pas de gagner sa vie, les Apôtres, c'étaient des copains, et Ramakrishna a dit... Un mélange, une salade d'exotisme et d'ignorance, de présomption et d'enthousiasme, de révolte et de paresse. Le fils du coiffeur rêve d'ashram, celui de l'industriel de révolution permanente. Du moins se coudoient-ils pour l'instant. Peut-être cet instant de leur vie est-il l'un des plus « valables »? Qui sait? Sans doute leur rêve, partir aux Indes, tous ensemble, fonder une communauté fraternelle, n'est-il qu'un rêve, et bien fondé sur la confortable certitude de retrouver, le soir de leur choix, le logis paternel prêt à les recevoir. Mais qui dira la puissance des rêves d'enfants? Peut-être l'un d'eux partira-t-il, délaissant les études ou la boutique paternelle... Revenant déçu peut-être, ou malade, ou encombré d'une exotique épouse (j'ai vu cela) au charme aussi vite évanoui qu'une boîte d'épices restée ouverte. Et vivotera « au quartier » sur le récit de son aventure, vaguement yogi, vaguement spiritualiste, dans cette marge de la bohème qui va du peintre sans succès au guérisseur sans clients, et qu'on appelle des « ratés ».

Le mépris qu'implique ce terme m'a toujours surprise. Peintre sans cote, écrivain sans audience, musicien sans orchestre, inventeur sans diplômes, mystique sans Eglise, les « ratés » sont justement ceux qu'habita une grande ambition. Qui parle d'un commerçant enrichi en l'appelant « raté » ? Qui parle d'un riche oisif, d'un fonctionnaire terne, en les traitant de ratés ? Qui sait pourtant ce qu'ils auraient pu devenir dans l'ordre de la connaissance, de la beauté ou de l'amour ? Mais raté, c'est celui qui a tenté quelque chose, et n'a pu s'insérer dans la société. La richesse intérieure, le courage nécessaire, tout cela n'est pas pris en considération, dans cette société qui se prétend cultivée, idéaliste et chrétienne. Alors, quoi de surprenant à ce que les saris, les gurus, les méditations yoga, aient tant d'attraits pour une jeunesse ardente et écœurée ? Jésus n'est qu'un Roi des Juifs raté. S'il avait pris le pouvoir et vécu plus longtemps, ç'aurait été une vie. Et même les Romains l'auraient considéré. En vérité quand nous nous proclamons « catholiques romains » nous sommes plus romains que catholiques. Baudelaire était un raté prétentieux, Van Gogh et saint Benoît Labre des ratés du genre clochard. Edison et Denis Papin, Bernard Palissy et votre voisin qui n'a jamais pu faire jouer sa symphonie ou publier son manuscrit, sont des ratés, au moins pour un temps. On juge, on tranche, au moyen d'une règle d'or, qui est le compte en banque, la photo dans *Match* ou les bonnes grâces de Louis XIV. Fénelon, qui fut un écrivain politique et mystique d'envergure, un archevêque dévoué, un ami merveilleux, aima les enfants, les jardins, la justice et la foi, est pour une majorité de critiques un raté. Pourquoi? Parce que Louis XIV le disgrâcia dans une crise d'autoritarisme. Il édifia l'Eglise et fit son salut? Ce n'est rien. Il forma avec ses amis un petit cercle rayonnant de foi et d'amour dont la correspondance nous touche encore aujourd'hui? Ce n'est rien. Ses belles pages mystiques sont dignes d'un Chateaubriand, ses pages politiques coururent l'Europe? Ce n'est rien, ce n'est rien, vous dis-je. Il ne put assister aux loteries de Cour que Bossuet présidait avec tant d'allégresse. Il ne fut pas invité aux « Marlys » assommants et futiles où le Roi-Soleil réchauffait sa vieillesse d'un petit feu de sadisme sénile. Il ne triompha pas des intrigues de Bossuet, du poids de l'influence de Louis XIV à Rome, il dut se contenter de l'estime de tout ce que l'élite comprenait de respectable; mais qu'est-ce que c'est à côté d'un Marly? On voit tout de suite où ses critiques se seraient trouvés. Et notez bien qu'il s'agit d'un prêtre, pour lequel il est tout de même communément admis que la « réussite » n'est pas exactement ce qu'elle est pour un autre? Est-ce cela, une « civilisation chrétienne »? Et ne rêverait-on pas, à son tour, de partir pour les Indes, si l'on avait vingt ans et devant soi cet avenir de machine à calculer?

Alors vive les saris qui ont de belles couleurs et ne coûtent pas cher; vive les camarades qui échangent des idées folles et des pull-overs. Et si Jésus était un guru, et si Jésus était un beatnik, disons que Jésus était aussi, avant tout, un raté.

— Quand même, dit X, si vous n'aviez pas réussi vous ne pourriez pas dire ces choses. Vous avez su mener votre barque.

— Cela ne veut pas dire que j'aime l'eau.

Je lis dans la correspondance de Teilhard de Chardin : « ... Arrivé à ce sommet, vous reconnaîtrez que rien n'est isolé, que rien n'est petit et profane, la moindre conscience portant partiellement en soi les destinées de l'Univers et ne pouvant s'améliorer sans tout améliorer autour d'elle. »

Que rien n'est petit, que rien n'est profane... Voilà ce que j'aurais voulu dire à Gabrielle Lenoir. Mais je n'ai trouvé cette citation qu'après, que trop tard.

***

Rue Saint-André-des-Arts, appuyée contre un mur, la mise négligée, j'attends Jacques qui est entré chez le marchand de vins pour rendre des bouteilles. Un grand jeune homme dépenaillé s'avance vers moi.

— Vous n'auriez pas cent francs?

Moi, d'humeur facétieuse :

— J'allais justement vous le demander.

Lui :

— Ah? Tenez.

Et il dépose dans ma paume une petite pièce que je reçois, ahurie.

Je l'ai gardée longtemps, jusqu'à ce qu'un des enfants la dérobe et la transforme en caramel. Je la regardais, pensive. Je ne suis pas si naïve ni si pleine d'illusions que de lui prêter, à cette petite pièce, de hautes vertus. Ce n'était pas « l'aumône de la veuve » dont il est question dans l'Evangile, cette aumône sacrée du pauvre à plus pauvre que lui. Nul sacrifice ni austérité dans ce petit geste : de la facile gaieté, un mode de vie désinvolte, un mépris des biens de ce monde assez sûr de retomber sur ses pieds. Mais à défaut des grandes vertus, les petites qualités faciles sont-elles à dédaigner? Parfois on va des unes aux autres. Et quand elles n'auraient que le mérite d'ajouter un peu de charme à la vie, ce serait déjà ça de pris.

*
* *

Mme Josette et la jeunesse

Mme Josette a eu une visite, dimanche dernier. C'est celle d'un vieil ami qui habite la banlieue.

— Il a un pavillon tout à fait joli, j'ai vu la photo, avec une grange au bout d'un petit pré, tout à fait la campagne. Un peu beaucoup de bruit, depuis quelque temps, mais ça le rajeunit.

— Bruit de voitures, madame Josette?

— Pas du tout. C'est qu'en mai dernier, il a hébergé quelques jeunes, qui avaient des ennuis avec la police pour une histoire d'affiches, je ne sais pas si c'était des beatniks ou des hippies, au juste (Mme Josette est toujours très scrupuleuse sur les points d'histoire) et puis, ils se sont donné le mot. Il en a toujours trois ou quatre chez lui. Ça lui tient compagnie. Je lui ai demandé de m'en envoyer un.

— Un hippie?...

— Ou un beatnik, ça m'est égal. Je serais contente d'avoir le point de vue d'un de ces jeunes sur les événements actuels. On ne les laisse pas suffisamment s'exprimer, à l'O.R.T.F. ou dans *le Monde*, je trouve.

J'imagine avec quelque surprise un hippie dans la salle à manger minuscule de Mme Josette, sous la suspension orange, devant le bahut breton.

— Et, il va venir, madame Josette?

— Mais oui. Dimanche. Je vais lui faire « mon » gratin de crevettes et « mon » cake au chocolat.

Vous croyez que cela convient? Qu'est-ce qu'ils mangent les hippies? Est-ce qu'ils sont végétariens?

— Ça dépend.

— C'est que je ne voudrais pas le choquer...

Mme Josette se prépare à l'arrivée de « son » hippie, comme à celle d'un ambassadeur. Elle a préparé « son » gratin de crevettes et une liste de questions. Que signifie au juste le slogan : *Prenez vos désirs pour des réalités*, pourquoi les jeunes scandent-ils : « Elections, trahison ». Quel est son avis sur le système électoral, etc.

— Vous savez, madame Josette, il n'est pas forcément au courant de tout, ce garçon! Ce n'est pas un ministre!

— Vous croyez que les ministres sont au courant de tout? réplique-t-elle, me clouant le bec.

Je n'étais pas sans appréhension sur cette rencontre. Le hippie viendrait-il? Ne trouverait-on pas Mme Josette assassinée? Ou la déception ne serait-elle pas vive des deux côtés? Il semble que non. Le hippie s'appelle Mark. Il est américain mais a fui son pays pour ne pas faire la guerre du Vietnam. Il a une grande barbe et de longs cheveux.

— Il est tout à fait intéressant, dit Mme Josette avec naturel. Il a bien voulu répondre à toutes mes questions. Il avait amené un ami, d'ailleurs, alors j'aime autant vous dire que mon gratin n'a pas fait long feu.

— Cela ne vous a pas ennuyée qu'il amène un ami?

— Pas du tout. Ils ont un peu chanté, à la fin du repas, des chansons très intéressantes sur mai, sur la question sociale. Au fond, ces jeunes ont un esprit sérieux.

A ma grande surprise, Mme Josette continue à recevoir de temps en temps, le dimanche, la visite de « ses » hippies. Le gratin de crevettes? Peut-être. Mais l'explication est trop simple. Autant qu'on les héberge, qu'on les nourrisse, ils ont peut-être besoin qu'on les écoute, ces jeunes gens. Combien de pères, de mères, ont pour leur propre enfant l'attention, sans complaisance mais sans condescendance aussi, de Mme Josette? Je l'en loue.

— Je m'informe, voilà tout, répond-elle avec dignité. Je ne partage pas leurs opinions, mais je suis contente de les connaître.

Mme Josette a le don de l'égalité. Quant à savoir si un attachement maternel se glisse dans ses rapports avec Mark et Jean-Pierre, si elle s'intéresse à leurs amours, à leurs tourments, à leur santé... voilà une chose dont Mme Josette trouverait bien déplacé de parler.

Une tout à fait curieuse réflexion de Daniel

Nous regardons, à la télévision, un film où intervient un mariage gitan, arrangé par les familles.

Daniel :

— Au fond, ce n'était peut-être pas plus mal, ces mariages arrangés. Voir une fille depuis toujours et se dire : c'est celle-là qui sera ma femme, il n'y a pas de question, c'est peut-être aussi bien que de s'emballer, se marier à vingt ans et le regretter après.

Je tombe des nues. Et l'Amour, et l'Instinct, et la Spontanéité, que je croyais bien installés à leur rang de triple divinité. Je rêve sans répondre. Il y a quelques mois, Daniel me disait :

— Je ne sais pas si je ne finirai pas par entrer à la Trappe.

— Mais tu as retrouvé la foi?

— On ne peut pas dire... je ne sais pas... c'est plutôt le genre de vie qui m'attire.

Le genre de vie de la Trappe! Mais je le comprends. Les secousses imprimées à notre sensibilité, à notre imagination, par la vie moderne sont si vives, si fréquentes, si incohérentes aussi qu'incapables souvent (et par fatigue) de retrouver notre unité perdue, nous sommes tentés de la chercher dans une règle, un rite, une tradition authentique, qui remette à sa vraie place, d'instrument et non de guide, une subjectivité trop prônée.

— ... tu ne crois pas?

— Si, dit Daniel. Sans doute. Il faudrait concilier cette liberté intérieure et cette tradition nécessaire. Les gitans... Mais nous avons notre folklore à nous.

Tout passe dans un sourire, inutile de parler. Mais je retrouve, dans des moments pareils, la conviction (parfois ternie par tant de factures, de dentistes, de vaisselles) que faire une famille, c'est faire une œuvre.

Allegra inchangée

Jeanne parle devant Allegra de l'œuvre d'enfants handicapés dont elle s'occupe.

Allegra. — Oh! que j'aimerais leur rendre visite! Ce qu'ils doivent être mignons!

Jeanne (offusquée). — Ils ne sont pas mignons du tout!

Quand je vois Jeanne, je comprends qu'on puisse n'être pas gentil par bonté, se mettre en colère par bonté.

Allegra va visiter les enfants. Elle s'habille en rose et jaune, d'une de ces robes folles qui lui vont, avec une ceinture bardée de plaques métalliques compliquées. Les enfants s'amusent énormément de la ceinture. Elle la leur laisse.

Jeanne. — Ils se feront mal.

Allegra. — Ils auront eu un bon moment.

Jeanne me dit :

— Elle vient, elle ne vient pas, elle leur apporte des cadeaux ridicules, ou rien. Elle n'est pas sérieuse, elle fait ça en s'amusant.

Quand je vois Allegra, je comprends que la bonté n'est pas forcément sérieuse.

Bobby

Bobby :

— Nous étions assez amis, enfin, on déjeunait ensemble, je lui prêtais de l'argent, tu vois, alors un jour je lui dis, j'ai envie d'écrire, il me semble que je pourrais; il se met à rire, mais à rire, et il me dit : « Tu es bien trop bête, vraiment tu es trop bête. » Ça ne m'a pas fait plaisir, tu comprends, mets-toi à ma place, alors je lui ai dit : « Explique-toi. » Il m'a cassé la gueule!

— Et alors?

Bobby :

— Eh bien, tu comprends, je l'ai moins vu.

Suite

— ... et deux trois mois après, un copain m'a dit, tu sais, Charles, eh bien, il est fauché, mais fauché, il ne peut pas même chercher du travail, il lui faudrait un costume, alors naturellement j'ai donné le costume, mais ce n'était pas de bon cœur.

— Tu es rancunier.

— Terrible.

Monseigneur et la vie moderne

Il faut que j'aille voir Monseigneur. Je fais partie d'une commission de gens sérieux pour l'information. J'ai dit oui. On ne peut pas tout refuser. Peut-être est-ce un devoir de participer à ces choses-là ? On se plaint de ceci, de cela, de l'organisation de la paroisse, de la politique, on ne peut donc pas refuser de participer de temps en temps à quelque chose qui se fait. Je vais voir Monseigneur. Après, je participerai à la commission, où je ne saurai que dire.

Je vais voir Monseigneur. Quelque peu nerveuse. Ce n'est pas que je sois franchement bête, mais entre les couches les plus profondes de ma pensée, qui est, je crois, sérieuse, et même grave, et mon humeur superficielle, qui est enjouée, voire parfois puérile, il n'y a pas cette classe moyenne des pensées qui permet d'être sérieux sans l'être, de parler de ce qu'on ne connaît pas, de paraître porter intérêt à des sujets qu'on connaît mal, ou dont on se fiche, tout importants qu'ils soient. Il y a des gens qui ont le don, dès qu'on aborde devant eux des sujets dits sérieux, d'afficher une mine qui laisse entendre que, bien qu'occupés de tout autre chose, ils mesurent l'importance du problème, qu'ils le situent dans le monde, et même qu'il ne tiendrait qu'à eux de le résoudre. C'est un don que je n'ai pas. Si, par hasard, j'arrive à donner cette impression, c'est avec un effort si grand que j'en suis, pendant deux jours, épuisée, et incapable d'écrire.

Je vais voir Monseigneur, armée de cette seule conviction : je voudrais faire quelque chose pour ma foi. Mais est-ce que je suis capable d'autre chose que de prier, de chanter, d'écrire, d'accueillir ceux qui viennent, et d'endurer le reste? On me dira que cela suffit, et j'accorde que ce n'est pas si mal. Mais tout cela est un peu trop *inoffensif*. C'est si facile d'être pour les autres (et pour certains autres) cet argument rassurant. On dit : est-ce qu'elle va chercher si loin, elle qui est pourtant un écrivain? Elle se contente d'être une bonne mère de famille, elle fait bicn la cuisine et invente pour ses enfants des histoires délicieuses, elle... Cela rejoint une certaine image de moi que je déteste, qui me fait souhaiter le martyre ou le scandale. Il faut être simple en esprit et non simple d'esprit. Il faut avoir l'esprit d'enfance, mais non d'enfantillage. Je réagis comme je peux. Je vais voir Monseigneur.

Immeuble moderne, classeurs partout, pièces insonorisées; machines à écrire, secrétaires, graphiques. Je me raisonne. Il faut cela, dans la vie d'aujourd'hui. Monseigneur est jeune, dynamique, sympathique. Il m'explique ma tâche. Mon point de vue sur l'information, celui d'un laïc, peut être précieux. Je travaille dans une maison d'édition, je dois savoir... Des chiffres. Déjà ma pensée s'évade. Monseigneur a un peu l'air d'un banquier. Mais très gentil, convaincu de l'utilité de ce qu'il fait. Je me demande si on peut avoir le sentiment de remplir exactement les desseins de Dieu en travaillant dans une banque. Il faut des banques, pourtant. Une banque catholique? On a toujours une certaine répugnance à envisager que les affaires de l'Eglise comportent une bonne part d'affaires d'argent. On ne peut servir Dieu et Mammon. Banque du Saint-Sacrement et de Jésus-Christ réunis? Cela choque. J'aimerais assez une formule comme « Banque Catholique Parce qu'on est bien Obligé », ce qui donnerait la B.C.P.O. Ce n'est pas plus mal que B.N.C.I., non? Peut-être que justement parce que c'est ennuyeux, sans gloire et sans plaisir, ce serait très méritoire d'être employé de banque pour Notre-Seigneur Jésus-Christ?

Mais est-il sûr qu'on n'y prenne pas plaisir?

Cependant il m'apparaît certain qu'il faut rompre une certaine conception trop individualiste, familiale et traditionnelle du christianisme, qui finit par n'être qu'une morale de cellule ou de ghetto. Soyons bons pour nos proches, nos enfants, nos amis, nos compagnons de travail (et là, je suis déjà large par rapport au petit cercle de certaines gens) et fermons bien fort les yeux pour ne pas voir le monde autour de nous, où les méchants s'égorgent! Oh! je n'y aurais que trop tendance. J'aime mes enfants, mes amis, mon travail. Cela suffit à remplir une vie. Je déteste les papiers, les articles écrits trop vite, la dispersion, les numéros matricules. Cela suffit à éloigner de la vie moderne, de toute action sur le monde (ce monde où la barbarie antique se mélange étrangement à la chinoiserie administrative) car toute action aujourd'hui passe par le formulaire, la publicité, le rapide, le mal fait (il faut prendre position sur un tas de problèmes qu'à moins d'y consacrer sa vie on connaît forcément mal), et toutes les réunions, qu'elles soient paroissiales, syndicales ou politiques, ont lieu le soir. Par parenthèse, je me demande comment il se fait que les militants de toutes appartenances semblent n'avoir jamais sommeil?

Mais je vis dans ce monde, et je m'en plains, et d'autres s'en plaignent. Mais le progrès, s'il est relatif et lentement conquis, est vite perdu, et la liberté, si elle est relative et comporte d'autres servitudes, est sous bien des aspects comparable à la maladie qui dès qu'elle est vaincue (lèpre ou choléra) réapparaît sous d'autres formes (cancer). Renonce-t-on à se soigner parce que l'on mourra? Invoque-t-on la relativité des choses pour se faire opérer des végétations? Parce qu'on connaîtra d'autres maux de tête renoncera-t-on à prendre une aspirine? Tout est toujours un problème d'espérance.

J'écoute Monseigneur. Il y a un problème de l'information. A ma très faible mesure je peux peut-être y jouer un tout petit rôle. Il faut être vis-à-vis des événements comme on est vis-à-vis des gens : espérer tout et ne rien attendre. Mais que je n'aime pas les statistiques!

Et pourtant, si l'on aimait, si l'on espérait, si l'on croyait assez, même les statistiques chanteraient.

Il n'y a plus de saisons

En fait, la vie moderne, en dehors des enfants, presque tout le monde la déteste. On vit en 1968 avec des concepts de 1868. L'émerveillement est passé, et du voyage dans la Lune au tweed promotionnel, on est écœuré de cette fête perpétuelle, de ces étonnements perpétuels, de ces découvertes perpétuelles. Connaîtrai-je le bonheur parce que j'emploie enfin un savon déodorant ou me désolerai-je à cause du Biafra, pour lequel je ne puis rien? Il n'y a plus de proportions. Le remords m'est insufflé scientifiquement à tous les niveaux : mon linge n'est pas vraiment blanc et l'Amérique est raciste. Les Russes envahissent la Tchécoslovaquie et je dois « économiser en achetant *plus* ». Une petite coiffeuse de dix-neuf ans arrive en retard à son travail; le métro était si bondé qu'elle a dû laisser passer trois rames... « Vivement les barricades! » dit-elle. Il n'y a plus de valeurs établies, on erre. « Il n'y a plus de saisons », disent les bonnes gens. C'est tellement vrai.

Allez élever des enfants au milieu de ce désordre. Pauline disait : « Il faut m'acheter un cartable, le mien n'est plus à la mode. » Alberte dira : « Dans mon école, les filles vont *toutes* aux sports d'hiver. » Daniel ne prendra plus un repas à la maison, mais se nourrira de saucisses sur les bars, et de frites au coin des rues, « tous les types font ça ». C'est vite dit de répondre : De mon temps on n'avait qu'un cartable pendant toute la durée des classes et on travaillait davantage. De mon temps on n'allait pas aux sports d'hiver et on ne s'en portait que mieux.

Ils vivent dans ce désordre et cette publicité, et ce monde, et les élever en dehors est préparer leur inadaptation future et les heurts à vingt ans. Il faut réinventer les saisons. Ce n'est pas rien.

Parce que bien sûr, on peut leur acheter le dernier cartable à la mode, le disque en vogue, les envoyer en classes de neige et se figurer que cela suffit. On peut aussi chanter du Bach, leur inspirer le mépris du yé-yé, le goût des bonnes lectures, des feux de bois, et des soirées en famille. Mais le lien entre les deux, qui le fera? L'ouverture de Bach sur Boulez, de la famille sur le monde, qui la rendra évidente si ce n'est la foi vivante?

Concepts enracinés dès l'enfance. Un petit garçon de douze ans, avec lequel je passe à la télévision, regarde un dessin animé dans lequel, par la grâce d'un arrosage magique, des fleurs s'élèvent tout à coup à la taille d'une maison. « Tout ça, c'est du moderne », dit-il avec dédain. Moderne, c'est-à-dire farfelu, idiot, absurde. Tout ce qui n'est pas du réalisme plat est l'œuvre de ces « modernes » qui ont de longs cheveux, font de la peinture abstraite, écrivent des livres qu'on ne comprend pas et font des barricades parce qu'ils ne savent qu'inventer. C'est tout un arrière-plan qui se devine, derrière ce « c'est du moderne » dédaigneux, toute une sensibilité déjà faussée, une attention, une curiosité arrêtées dans leur développement. C'est moderne, pour une toute petite infraction au réalisme... Et le fantastique allemand? Le merveilleux médiéval? *La Légende dorée,* la fleur qui parle des chevaliers de la Table ronde. Mais je peux difficilement parler à Gilles du fantastique allemand...

— Ça s'est fait aussi autrefois, tu sais. Dans des contes, des poèmes...

— Oui, mais c'était pour des bébés, répond Gilles avec assurance.

— Pas toujours. Cyrano de Bergerac...

— Oui, il y a toujours eu des fous, mais maintenant tout le monde est fou, dit cet enfant avec assurance.

C'est un beau petit garçon, Gilles, les dents bien blanches, la figure ronde, un costume de velours vert bouteille qui lui va bien. Il a une petite sœur toute blonde et très menue qui s'appelle Dominique. « Dominique et Gilles... Gilles et Dominique... » *Les Visiteurs du soir,* ce chef-d'œuvre du folklore, du faux passé, du carton-pâte poétique, des teintes pastels (j'ai beaucoup aimé, jadis, avant de comprendre à quoi servait cette idéalisation du passé).

— Pourquoi penses-tu que tout le monde est fou?

— Il n'y a qu'à regarder! Les habits, les tableaux, les... Tout quoi.

— Les fusées, aussi? dis-je perfidement. Là, j'ai touché un point sensible. Il y a peu de petits garçons qui ne soient touchés par les fusées.

— On ferait quand même mieux de construire plus d'écoles, dit-il vertueusement, repoussant la tentation.

Bien sûr, on ferait mieux. Mais fait-on bien d'enseigner à Gilles qui n'a que douze ans le dégoût du monde dans lequel il est appelé à vivre? Lui apprendre à se défendre contre la publicité, la vulgarité, la consommation, oui. L'enfermer dans un ghetto d'harmonies désuètes, non.

L'harmonie est partout.

Et pourtant... faites une nature morte de pommes, de fleurs et de guitares, tout le monde trouvera cela naturel. Faites une nature morte de bouteilles de Coca-Cola et de paquets de lessive, quelque sérieux que vous y mettiez, il paraîtra toujours y entrer une part de provocation. Donnez un concert de musique chinoise classique, ses dissonances, ses difficultés, sont accueillies avec attention et sérieux; le même public, devant les dissonances et les difficultés d'une musique sérielle ou dodécaphonique, ricanera, parce que c'est « moderne », parce qu'il n'y a pas la marque de garantie des années, parce qu'il y a un risque à prendre d'avoir accordé son attention pour rien... Mais l'attention, ce n'est pas un trésor qui se dilapide. Tout est toujours un problème d'espérance.

L'Eglise, toujours l'Eglise

Renée, catholique :

— Le Christ, oui, le Christ! C'est plus beau que Bouddha, c'est plus beau que tout, le Christ. Mais l'Eglise!

— Mais s'il n'y avait pas eu l'Eglise tu ne saurais même pas qu'il a existé, le Christ! Au début, l'Eglise, c'est seulement ceux qui ont recueilli sa parole et essayé de la répandre et de la mettre en pratique.

— Ah! Oui! Au début! Mais après!

— Il y a eu les saints...

— Les saints, je ne dis pas, mais l'Eglise!

— Les saints, tu ne les connaîtrais pas sans l'Eglise. Ils sont aussi l'Eglise. Et puis le dogme — l'Incarnation — la pureté du dogme qu'il fallait préserver, tout comme le monothéisme a été préservé par les Juifs...

— Ah ! Oui ! Le dogme ! Mais l'Eglise !

— Sans l'Eglise tu n'aurais pas les sacrements, la force que te donnent les sacrements, ce lien charnel avec Dieu...

— Ah ! Oui ! Les sacrements ! Mais l'Eglise !

A bout d'arguments :

— Mais est-ce que ta foi ne serait pas trop facile sans les imperfections de l'Eglise ? Et la croix ?

— Ça, évidemment.

*
* *

Plaisanterie intimiste

— Je suis content que Mgr B. ait été nommé cardinal, dit le Père N., qui est un ami très proche. C'est un esprit très éclairé, une intelligence remarquable...

— Certainement...

Nous ressentons notre double réserve. Une étincelle de malice brille dans l'œil du Père N.

— Evidemment, ce n'est pas exactement ce que j'appellerais un inadapté social, n'est-ce pas ?

On se marre. Comprenne qui voudra, on se marre.

*
* *

Idem

— Celui que je ne comprends pas, c'est saint Siméon Stylite, dit Vincent, qui lit *les Pères du désert*. Qu'est-ce qu'il devait s'ennuyer sur sa colonne. Et à quoi ça servait?

— Je suppose qu'il voulait montrer que, quand on possède Dieu, on n'a besoin de rien d'autre.

— C'est dommage qu'il n'ait pas eu la télé, dit Pauline. Il l'aurait bien eue, même la deuxième chaîne, parce que la colonne, elle aurait fait antenne.

— Je suppose qu'il voulait montrer qu'on pouvait se passer même de la télévision — enfin, c'était plutôt des livres, à l'époque — enfin, de tout.

— Une chaumière et un cœur, dit Alberte, avec cette ironie douce qui lui est personnelle.

On ne saurait mieux dire. Pourquoi est-il communément admis que l'amour humain est une récompense suffisante à tous les sacrifices, alors qu'il paraîtrait à beaucoup, sinon fou, du moins bien excentrique, de réduire seulement un peu son train de vie pour l'amour de Dieu? Si toutefois on n'est pas « accrédité » : moine ou quoi que ce soit qui porte l'uniforme; y a-t-il un uniforme pour la vie chrétienne? S'il y en a un, j'ai l'impression qu'au nôtre, il doit manquer quelques boutons.

Le maçon

Depuis un an, on repeint la maison. On gratte, on calfate des trous, puis on nous abandonne un mois ou deux à nos plâtras pour recommencer, semble-t-il, de zéro. Le maçon tousse. « Comme il tousse, ce maçon! » dit Alberte. Vincent, sociable, va lui faire la conversation : « Il faudrait que vous preniez du sirop de...; c'est ce que maman donne. Et puis le soir, vous frottez avec du Vix. » Le maçon a jeté un regard autour de lui; il a mis un doigt sur ses lèvres et il a fait : « Chut! » Stupeur de Vincent.

— Pourquoi il m'a fait : « Chut! »? Je lui donnais un bon conseil.

— Peut-être qu'il ne veut pas qu'on sache qu'il est malade.

— Pourquoi?

— On pourrait le renvoyer.

— Et la Sécurité sociale alors? Elle sert à quoi? dit Alberte qui a une confiance de principe dans les institutions.

Le pronostic pourtant se révèle juste. Quelques jours plus tard les enfants en pleurs assistent au renvoi du malheureux Portugais qui décidément toussait trop.

— Tu ne peux pas le prendre, toi? implore Pauline.

— Il a dit que la Sécurité sociale, il ne l'a pas encore, dit Alberte, le sourcil froncé.

— Il a dit : Les papiers ne sont pas achevés.

— On ne peut pas faire une manifestation? demande Vincent qui ne recule pas devant les grands moyens.

— On ne peut pas faire une manifestation pour un seul homme, tu comprends; on peut faire une manifestation pour le sort des travailleurs portugais, ou étrangers, en général, mais pas pour un seul.

— Alors, on n'a pas le droit d'être seul? riposte Vincent, ulcéré.

— On a le droit, mais si on se désolidarise des autres, les autres à leur tour se désolidarisent de vous. C'est le rôle des syndicats de grouper les gens du même métier pour qu'ils s'aident entre eux.

— Peut-être il n'a pas su se débrouiller pour trouver la maison...

— ?

— Du syndicat.

— Ou les papiers, tu sais. Toi-même tu dis toujours : Ces papiers, ces papiers...

— Peut-être il n'est pas très malin. (Alberte.)

Vincent, véhément :

— Ce n'est pas parce qu'on n'est pas malin qu'on n'a pas le droit d'être malade !

Pauline :

— Est-ce qu'il y a un syndicat pour les gens pas malins ?

— Pas précisément. Mais il y a un syndicat pour les maçons. Je suppose qu'il finira par y être inscrit.

— Tu supposes, mais est-ce que tu es sûre ?

— Non. Parce qu'il y a des gens qui restent très longtemps sans être en règle.

Il y a un petit silence méditatif.

— Tout ça ne marche pas sur des roulettes, hein, maman ?

— On ne peut pas dire...

— Heureusement qu'il y a le Paradis, dit Alberte fermement. Je crois que pour l'instant elle voit le Paradis comme une sorte de super-Sécurité sociale, mieux organisée.

— Oui. Mais on ne peut pas se fonder sur le Paradis pour ne rien faire sur la terre et se dire que tout va s'arranger.

— Se quoi sur le Paradis ?

— Se fonder. Se servir de l'idée du Paradis pour ne pas s'engager sur la terre.

— Ne pas quoi ?

— Oh ! Zut !

Quelquefois on en a assez d'expliquer. Surtout quand on ne sait pas très bien quoi répondre. Comment naviguer entre la foi naïve au progrès qu'ils sont prêts à avaler comme un caramel à cinq francs (« On est mieux qu'au Moyen Age, parce qu'au Moyen Age on était des SERFS », dit Pauline en écolière modèle) et l'engourdissement d'une promesse trop précise qui les dispense de réfléchir ?

La résignation? La révolte? Et la joie alors? Et le sens de la grâce? Et l'action, et l'engagement, et l'espérance sans illusion, et le combat sans issue, et les petits instants d'éternité qui parsèment tout cela, inexplicablement évidents? Comment leur donner le sens de cette grâce sans qu'elle leur serve d'alibi?

— Alors, ce n'est pas vrai qu'au Paradis tout s'arrange? dit ma sensible, ma secrète Alberte, les yeux désolés.

— Si, c'est vrai. Mais il faut faire comme si ce n'était pas vrai. Ou plutôt...

— Oui. Un peu compliqué pour toi, hein?

— Parfois.

Inondations

Nous avons inondé dix fois Mme Kesselbach, notre voisine du dessous, quand nous habitions au Panthéon. C'était une Alsacienne posée, rondelette, avenante, experte en pâtisserie, une légère odeur de tarte aux pommes flottant toujours autour d'elle. Le carrelage, à vrai dire, était défectueux; une vraie passoire. Et l'eau passait, passait. Un jour Pauline renversait une bassine, le lendemain Catherine oubliait l'évier en jouant de la flûte. Mme Kesselbach montait.

— Madame, je ne voudrais pas vous être désagréable, mais il y a encore des infiltrations. Et quand je dis des infiltrations! C'est une inondation que je devrais dire. Je ne peux pourtant pas vivre sous un parapluie! Prenez des mesures!

Elle avait l'accent du baron de Nucingen dans *Splendeurs et misères*... Nous baissions la tête, nous prenions des mesures. C'est-à-dire que nous faisions à Cathie, à Pauline, des discours moralisateurs pendant lesquels — à cause de leur empressement à accourir et de notre éloquence — l'évier débordait à nouveau.

Daniel encore enfant essaya un sous-marin dans la baignoire. Il ouvrit tout grand le robinet d'eau chaude; son camarade, Chaud-Museau, en fit autant pour l'eau froide. Puis, incapables de les refermer, ils s'en furent, sur la pointe des pieds, jouer aux billes dans la rue. En peu de temps le niveau de l'eau sur le carrelage monta à trente centimètres. J'entrai.

— Mon Dieu! Mme Kesselbach!

Déjà elle sonnait; imperturbable, les deux mains dans la poche ventrale de son tablier, les nattes grises bien roulées autour de la tête, résignée, avec presque un petit sourire découragé :

— Je ne voudrais pas vous persécuter, mais quelques infiltrations...

C'était une bonne personne, Mme Kesselbach! Il fallut lui remplacer un plafond tout entier.

Un soir de 14 juillet que nous étions allés danser, le chauffe-bain éclata, et quarante litres d'eau bouillante s'abattirent dans le lit de Mme Kesselbach qui heureusement ne s'y trouvait pas. Mais cette fois-là, dont nous n'étions pas responsables, elle ne nous le pardonna pas. Echevelée, les yeux encore pleins d'horreur, dans son peignoir de satinette bleue, elle narrait aux voisins, d'une voix blanche de somnambule :

— Je sors des cabinets, madame, et qu'est-ce que je vois? Mon lit qui FUMAIT, madame! Un lit qui fume!

Bien plus que les dégâts, que le risque encouru, c'était cette vision insensée, cet instant de démence, l'arbitraire, l'illogique, l'impossible, éclatant dans sa vie alsacienne et pâtissière qu'elle ne pouvait pardonner, pas même admettre. « Un lit qui fume ! » Elle déménagea.

Dans la nouvelle maison, comme nous avons deux étages, quand le lavabo déborde, l'eau coule tout droit dans le piano d'Alberte. Pas de complications.

*
* *

Pourquoi Dolores est déshonorée

Dolores dit fréquemment, du ton le plus calmement évident :

— L'homme qui m'a déshonorée...

— Pourquoi dis-tu cela, Lo ? Tu n'es pas déshonorée, voyons.

— Puisque j'ai un enfant sans être mariée, dit-elle d'un ton sans réplique et passablement satisfait. Et quand je lui fais remarquer qu'elle pourrait boire un peu moins, montrer un peu plus de patience dans les situations diverses où elle passe comme une tornade, Dolores répond :

— Oh ! vous savez ! quand on est déshonorée !

— Mais où trouves-tu des mots pareils ?

— Tout le monde sait ça. Dans les photo-romans.

C'est très curieux, les photo-romans. Je m'y suis mise un été qu'il pleuvait en Normandie. J'en ai lu une pile, aussi haute que Pauline, avec une avidité croissante. Jacques s'y est mis, et Daniel. Au bout d'une semaine, nous nous arrêtons écœurés. Pourquoi les photo-romans sont-ils pires que les romans populaires d'autrefois ? Pourquoi Paul Féval est-il plus lisible que *Aimée à Capri* ? Parce que c'est, malgré tout, plus écrit ? Le schématisme extrême du photo-roman crée des effets comiques que le roman tout court arrive à éviter. « Je suis un cambrioleur, vous une jeune fille du monde. Il n'y a rien de commun entre nous. — Rien, sauf l'amour! » rétorque la jeune fille du monde, vêtue d'un déshabillé affriolant. Etrange monde que celui du photo-roman. Les pères y maudissent encore leurs enfants, les jeunes filles sont déshonorées, les riches sont très riches, les pauvres très pauvres, mais honnêtes, à moins que, dévoyés par leurs mauvaises fréquentations ou quelque femme fatale, ils ne cambriolent une bijouterie avant d'entrer au couvent. Ce dernier avatar, assez fréquent, nous indique l'origine du photo-roman, souvent italien ou espagnol. Ce qui y manque et fait la supériorité du roman populaire, ce sont justement ces péripéties un peu folles qui décollent de la réalité des apparences pour passer à une réalité plus profonde, celle du rêve, du subconscient, et par où le roman populaire rejoint le conte. Ces enfants trouvés dans les églises et qui « ne sont autres que » les héritiers du Château noir, ces bandes mystérieuses avec leur langue secrète, leurs mots de passe, et leurs souterrains, ces fantômes sanglants, ces justiciers, sont des phantasmes autrement authentiques que les bourgeoises amours des photo-romans.

Au fond ce qui est écœurant dans le photo-roman, c'est qu'il est rarement l'expression de ces pulsions profondes et générales, et qu'il fournit au contraire à celui qui le lit un bric-à-brac de notions qui lui sont étrangères, qui sont absolument séparées de sa vie quotidienne comme de ses aspirations profondes, bref lui donne un moyen d'atteindre par le vocabulaire tout au moins, une ascension sociale. Le roman populaire fournit du rêve. Le photo-roman fournit une culture. C'est en quoi il est abominable.

Le roman populaire est enraciné dans les besoins

les plus vrais du cœur. C'est en quoi il est respectable. L'ouvrier qui lit Paul Féval sait bien que c'est par le cœur que le pêcheur sicilien « n'est autre que » le riche prince Ruspoli. Que c'est dans le domaine du rêve que l'enfant trouvé s'élève aux plus hautes dignités du Royaume (ce Royaume idéal qui est si près du monde de Kafka) et que le justicier triomphe des intrigues des méchants. Mais la servante qui lit le photo-roman ne ressent pas en le lisant ce dédoublement qui est un retour aux sources. Ce n'est pas grâce à un trésor perdu, ou à une marque derrière l'épaule, ce n'est pas dans une dimension mythique qui rejoint la vérité du cœur, que l'ouvrier épouse la fille de son patron. C'est grâce au travail et à l'honnêteté, aux économies et aux cours du soir, c'est dans un monde qu'on lui présente comme vrai, avec salons de Lévitan et H.L.M. coquettes. Là, est la mystification. Car, bien sûr, Dolores sait que l'ouvrier n'épouse pas la cover-girl, que la fille mère n'est plus « déshonorée » et que l'enfant de l'Assistance, même studieux, finit rarement P.D.G. Mais elle pense qu'il faut le croire. Qu'il est convenable de le croire. S'accuser elle-même (parce qu'elle a un enfant, parce qu'elle ne suit pas les cours du soir — seule chose, de toute évidence, qui l'empêche de diriger une maison de couture — parce qu'elle « s'amuse », ce qui bien entendu est tout à fait coupable quand on n'a pas d'argent), s'accuser elle-même, lui apparaît comme une façon de s'insérer dans la société au lieu de la critiquer. Elle adoptera donc un vocabulaire « bourgeois » des valeurs « bourgeoises », et, par là, acquerra le droit de gâcher le peu de liberté qu'elle possède. « Déshonorée » une fois pour toutes, elle est déchargée du soin de son « honneur ». Acceptant le vocabulaire d'une société, elle est déchargée du devoir de l'examiner et, peut-être, de la contester.

C'est pourquoi Dolores, qui lit avidement le photo-roman, dit du roman populaire : « C'est enfantin. » Elle souligne ainsi son caractère d'incrédibilité, de fable. Le roman populaire est une parabole. Le photo-roman est un trompe-l'œil. Le roman populaire transpose. Le photo-roman travestit. Il est une mystification sociale, là où le roman populaire est une affirmation (désespérée) des droits de l'homme.

Dolores dit : « Ça ne se passe pas comme ça. » Le roman populaire, par son attirail pittoresque, avoue qu'en effet ça ne se passe pas comme ça. Mais il affirme en même temps que ça devrait se passer comme ça, que ça se passe effectivement comme ça sur un autre plan, ou dans un autre monde. Le photo-roman, lui, affirme que ça se passe comme ça, ou du moins que ça se passerait comme cela si certaines conditions étaient réalisées : piété, vertu, sobriété et résignation parfaite de tous les déshérités. J'irai jusqu'à dire : le roman populaire est religieux, le photo-roman est social. Et j'insiste : c'est au XIXe, au moment où l'écrasement moral du peuple est le plus grand, que s'épanouit le roman populaire, transposition désespérée de ses aspirations à l'égalité, à la justice, contestation pittoresque et travestie (le roman populaire fertile en codes et en langages secrets, est lui-même un langage secret) du triomphe de l'argent et de l'hypocrisie. A la limite, on pourrait voir un personnage messianique dans ce héros justicier qui ramène enfin les vraies valeurs à la surface, et dont l'archétype est le prince Rodolphe d'Eugène Sue.

La double appartenance

Un des thèmes qui reviennent le plus souvent dans le roman populaire, outre celui du langage secret, est celui de la double appartenance. L'orpheline vêtue de haillons « n'est autre que » la fille d'une duchesse. Le bandit au langage blasphématoire a juré en réalité de venger son père ou de secourir les malheureux. Le magistrat est un bagnard, le bagnard un innocent, l'innocent un prince. L'existence d'une hiérarchie de valeur autre que celle des apparences, autre que la valeur « officielle » (les personnages de banquiers, de juges, de prêtres, sont particulièrement mal traités) est partout affirmée. C'est dans ce besoin que prend naissance le personnage usé aujourd'hui de la « putain au grand cœur » qui a subi une subtile transformation. Témoin, comme le bandit, de la suprématie du cœur sur l'apparence et sur l'action réputée vile, à laquelle elle se livre, la « putain au grand cœur » dans une époque où l'érotisme est de plus en plus proclamé et de moins en moins ressenti, est devenue revendication de l'instinct (elle est « la vraie femme » opposée à la vertu réputée frigide) contre une pureté devenue sociale. Quand le bourgeois réclame « une vraie jeune fille » comme on réclame un vin millésimé, au mépris du besoin simple et premier de boire ou d'aimer, c'est l'instinct et non le cœur qui est devenu valeur contestataire. Le personnage s'est simplifié, appauvri. Du domaine du sacré (la Louve, dans Eugène Sue, révèle sous son apparence de prostituée la fermeté d'une héroïne et le dévouement d'une sainte) elle est passée au domaine du psychanalytique (pourvue d'abondants avantages qu'une mode castratrice interdit à la femme « adaptée »). C'est que la répression s'exerce ailleurs et autrement.

Le XIXe faisait de l'ambition sociale presque un vice. On « ne savait pas se tenir à sa place ». Répression cynique qui engendrait la révolte ou l'évasion. Le XXe fait de l'ambition sociale une vertu, et presque un devoir. « Se tenir à sa place », « n'avoir pas d'ambition », sont désormais des termes péjoratifs. Si toute votre vie vous restez bonne à tout faire, ou garçon de bureau, *c'est votre faute.* On vous l'avait pourtant dit, de vous inscrire au Club Méditerranée et d'acheter du tweed *promotionnel!* Répression sournoise qui retourne contre vous la révolte et la transforme en auto-accusation. « Les femmes n'ont plus d'excuses à n'être pas jolies », titre un magazine féminin. Que n'avez-vous fait de la gymnastique tous les jours? (Après un avortement la veille, c'est difficile.) Que n'avez-vous couru les magasins pour trouver cette petite robe à quatre-vingts francs, qui existe en huit tailles et cinq nuances? (Après huit heures de bureau, et les enfants qui attendent, c'est difficile, répondez-vous faiblement.) Que ne lisez-vous ce journal, si bon marché, pour « vous tenir au courant »? (Parce que je suis crevé et que je préfère *Tarzan,* n'est évidemment pas une réponse.) « Eh bien, rétorque la Société victorieuse, si vous ne devenez pas P.D.G. ou mannequin de haute couture, ne venez pas vous plaindre. On vous avait tout mis entre les mains. »

Le plus fort, c'est qu'ils le croient. Et comme se démener pour payer la voiture à crédit est plus absorbant et plus fatigant que de lire *les Habits noirs* ou de dire son chapelet (opium si l'on veut, mais l'opium ne fait que calmer, tandis que le maxiton rend fou, et le crédit, la mode obligatoire, le journal affolant et la promotion sociale c'est le maxiton) il ne reste plus d'énergie, vraiment plus d'énergie du tout pour réclamer un peu de vraie liberté; de vraie égalité; de vraie fraternité. C'est le progrès comme on dit.

La culpabilité se déplace. La culpabilité sociale de Dolores, aujourd'hui, ce n'est plus du tout d'être fille mère; c'est de ne pas être élégante, ambitieuse, intéressée. C'est de ne pas chercher à s'élever. Mais être fille mère est une malédiction commode, puisque « le mal est fait » et vous dispense, une fois « au ban de la société », de tout effort pour y rentrer.

Ainsi, Dolores fille mère est, selon son tabou ancestral et espagnol, condamnée, mais des exigences de la vie moderne et de la nouvelle morale, libérée. Ce tam-tam continuel d'être belle, d'être au courant, de se « recycler », cette course anxieuse à l'acquisition, elle y échappe royalement. En savates, et maquillée barbarement à l'antique (blanc, rouge et noir) telle la statue de Pallas-Athénée violemment mise en couleur par ces Grecs anciens que nous édulcorons, Dolores possède, grâce à cet alibi du déshonneur, la superbe indifférence du nomade. Elle se rit des conseils de *Elle*, des efforts laborieux d'une amie pour la « reclasser », comme infirmière ou aide sociale, et brûle depuis mai pour la Révolution idéale, celle qui fera disparaître toute fausse échelle de valeur, celle qui brisera les hypocrisies et tournera en dérision les publicités niaises et angoissantes. Telle est la liberté de Dolores. (Dolores : « Si je porte une mini-jupe, ce n'est pas par coquetterie, c'est que je n'ai pas peur de montrer mes jambes... »)

Mais c'est une liberté désespérée. Car vivant une existence toute gratuite — sa bonté est brutale, son indépendance ne lui sert à rien, et si elle gaspille à tous vents son intelligence, son cœur, son corps et sa santé, c'est par une fierté absurde que rien ne soutient — Dolores ne se reconnaît pas le droit à cette liberté. Reconnaître qu'elle la possède de plein droit, ce serait reconnaître qu'elle en a la responsabilité. Aussi préfère-t-elle en jouir, comme si elle lui était imposée par son indignité et acquiesce-t-elle par son vocabulaire à une société qu'elle répudie par son comportement. Et voilà pourquoi Dolores est déshonorée.

*
* *

Erotisme

On en parle beaucoup, on prétend qu'il triomphe. Je veux bien, moi. Mais quand je lis les « services de presse » qui me parviennent, et parmi lesquels, en effet, un certain nombre traitent de l'amour physique, je n'ai pas l'impression que, pour les écrivains de nos jours, ça doive marcher tellement fort. Leurs réveils me paraissent plus écœurés que triomphants, et leurs prouesses, ou ce qu'ils en laissent deviner, plus méritoires (étant donné l'ennui qui paraît suivre) qu'olympiques. On a honte d'aimer comme on a honte d'écrire; bien sûr, on n'a jamais tant écrit, et je veux bien croire qu'on n'a jamais tant aimé. Mais à coup sûr, accompli avec tant de lassitude, d'ingéniosité triste et de conscience découragée, cet effort ne concerne plus ni la littérature ni l'érotisme.

Devant une affiche qui vante les mérites d'un collant pour dames, au moyen d'une croupe gigantesque qui pendant quelques semaines envahit les murs du quartier, Pauline rit, Vincent ignore (il est bien plus intéressé par Superman), Daniel dédaigne, Alberte dit : « Ce n'est pas très convenable. » Devant des mannequins nus qu'on peint dans une vitrine de fleurs violentes, Pauline dit :

« C'est marrant », Vincent dit : « C'est joli », Alberte dit : « C'est ridicule. » D'où viennent des réactions si différentes? Devant les étreintes de la télévision, Pauline hurle de joie : « Ça y est! Ils s'aiment! » Vincent se désintéresse, à moins qu'un rival ne s'approche, un pistolet à la main. Alberte baisse les yeux. Cependant enfants du siècle. Alberte, à onze ans, déclare qu'elle est assez « pour la pilule » dans certains cas bien précis. Vincent n'est pas sûr de son opinion; il réfléchira. Pauline s'est emparée dans la pile de livres qui me parviennent d'un ouvrage sur l'éducation sexuelle et, sous la lampe, formant un charmant tableau à la Bergman (Ingmar), lit avec application, en suivant les lignes du doigt : « Les sper-ma-to-zoï-des du père s'en vont alors... » Lui arracher le livre? M'indigner? Ou me lancer dans l'histoire des petites graines et des papillons qui fécondent les fleurs?

— Est-ce que tu comprends ce que tu lis, Pauline?

— Oh! oui.

— Tu ne veux pas que je t'explique?

— Oh! non. Je comprends tout.

— Ah! bon. Comment...

— J'ai vu les bêtes à la ferme de M. Brosse, à la campagne. J'ai vu comment il est né le veau, j'ai vu comment ils font les chats, les chiens, les chevaux, et tu sais, les poules ce n'est pas du tout pareil ni les escargots. Tu veux que je t'explique?

— Non, merci.

J'avoue que pour les poules, je ne sais pas. Mais je bénis la campagne qui m'évite d'entamer l'histoire des petites graines.

Alberte lit un vieux numéro de *Elle* où, à l'aide de schémas, se trouvent retracées les phases de la grossesse et de l'accouchement. Prête à remplir mon office de mère :

— Tu comprends? Ça t'intéresse?

— J'adore, me dit-elle, penchée sur ces schémas qui n'ont rien de poétique. Il n'y a rien de plus beau.

C'est vrai. Je ne vois pas trop ce qui me reste à faire. Peut-être que ce qu'il y avait à faire est déjà fait; peut-être qu'il y avait surtout des choses à ne pas faire : se récrier, rougir, se troubler, refuser de répondre à des questions déplacées, mais innocentes. Mais parfois la franchise et l'absence de problèmes, qui entourent apparemment pour eux ces questions, m'étonne.

Alberte. — Jean et Jacqueline, ils vont avoir un bébé, n'est-ce pas maman?

Pauline. — Ça se voit!

Alberte. — Pourquoi ils ne se marient pas?

Moi. — Ça ne regarde qu'eux.

Alberte. — Mais ils s'aiment?

Moi. — Oui, je crois.

Vincent (optimiste). — C'est l'important, n'est-ce pas, maman.

Moi (prudente). — C'est très important.

Alberte. — Alors, pourquoi ils ne font pas comme tout le monde?

Moi. — Ce n'est pas forcément le bien de faire comme tout le monde. C'est plus pratique seulement.

Pauline (hilare). — Bien sûr! Qu'est-ce que ça fait d'être marié ou pas?

Moi. — Ça peut être ennuyeux pour les enfants, pour les choses d'argent, quand on ne s'entend plus...

Vincent (rêveur). — Oui, mais quand on s'entend...

Moi. — Le sacrement du mariage, dans l'Eglise, nous donne... devrait nous donner la force de nous entendre toujours, de faire des concessions...

Vincent. — Oui, mais en dehors de l'Eglise ce n'est pas la peine?

Moi. — ... C'est-à-dire... Au point de vue de la société...

Pauline. — Enfin, si on n'est pas mariés, et qu'on a un enfant et qu'on s'entend bien, il ne faut pas en faire un drame, quoi.

Vincent. — Les rapports sexuels, ce n'est pas forcément qu'on s'aime, n'est-ce pas, maman?

Moi. — Non. Ce serait plus beau, mais ce n'est pas forcément...

Vincent. — Et quand ce n'est pas qu'on s'aime, qu'est-ce que c'est?

Moi. — Un besoin naturel.

Vincent. — Et c'est mal?

Moi. — Ce n'est pas mal en soi, c'est mal parce que c'est moins beau. Parce qu'il faut toujours tendre vers ce qui est le plus beau. Savoir attendre ce qui est le plus beau.

Vincent. — Il doit falloir beaucoup de patience.

Vincent revient à cette question qui le préoccupe.

— Mais si on n'attend pas et qu'on a des rapports sexuels (il affectionne ce mot scientifique) avec des personnes qu'on n'aime pas, est-ce que c'est *mal?*

— Je dirai que c'est une sorte de péché par omission, parce qu'on se conduit par simple instinct, comme un animal, alors qu'on n'est pas un animal, qu'on est appelé par Dieu à comprendre plus de choses, à connaître un amour plus complet.

— Mais il y a même des animaux qui s'aiment, dit Vincent. Je l'ai lu dans *la Vie des bêtes,* et qui se laissent mourir si on les sépare.

— Ça prouve qu'il y a des animaux plus sensibles et plus délicats que des hommes, dis-je un peu malgré moi.

— Je l'ai toujours pensé, dit Vincent.

Je m'en veux un peu de l'avoir laissé arriver à cette conclusion. Mais le moyen de l'éviter?

Erotisme et femmes fatales

Je repense à l'érotisme en lisant les faits divers, en regardant les visages de celles qui quelques jours durant sont les « héroïnes » de première page.

L'une a un gros visage bête, des yeux bovins, une indéfrisable. Deux hommes se sont tués pour elle. L'autre est une maigre brune, sans complexes, exhibant, dans son maillot de bain, des salières affligeantes et des mollets étiques. Neuf amants dont l'un s'est fâché. La troisième, toute blonde, toute pâle, toute fade, poupée que l'on gagne à la Foire avec un bout de nougat en prime : son beau-père l'a violée, son mari a tué le beau-père. Sombres passions. Ghislaine au groin de porc « plaisait encore à soixante ans », Jeannine qui pesait quatre-vingts kilos « a dit non une fois de trop ». Josyane, malgré son humble visage d'enfant mal nourrie, une dent de devant cassée, les deux mains dans la poche ventrale de son tablier à carreaux, était néanmoins « folle de son corps » et Renée, « l'amante du gardechasse », a tenté dans sa 2 CV d'écraser sa rivale.

Ce sont les femmes fatales, les vraies, celles des faits divers, celles des photos magenta de *Détective*, photos passées, poétiques, de celles qui trônent sur les buffets de campagne ou les consoles de H.L.M. jusqu'au jour...

Je lis les faits divers. Je lis *Détective*. Je découvre

cette évidence : les grands drames se déroulent devant des buffets Henri III, les belles passions se développent entre table en formica et fourneau, les cœurs bien épris n'ont pas d'eau courante. Ce ne sont pas les agrégés de philosophie qui tuent pour les beaux yeux des mannequins de haute couture, c'est le facteur qui aime la boulangère, la coiffeuse qui se tue sur la tombe du laitier; c'est dans les bals de banlieue et les coopératives qu'on aime encore au premier coup d'œil et pour toujours, dans les pavillons qu'on rêve et qu'on empoisonne, dans les petits bars de routiers qu'on meurt d'amour.

Et ils me font bien rire, ceux qui se plaignent de la vague d'érotisme dans la publicité, dans le roman, au cinéma. Le fossé qui sépare ces prétendues « femmes fatales » de nos beautés en minijupes, en perruques et en bas-résille démontre formidablement le contraire. C'est une tentative désespérée pour ranimer (au profit de la triste consommation) un feu qui fut sacré et qui s'éteint. Tout comme la vénération truquée de l'instinct, de la barbarie, du cri, tente de dissimuler la grandissante impuissance d'un art qui a honte de lui-même. On parle de violence : notre époque n'est pas violente, elle est cruelle, comme toutes les époques de transition et de dégénérescence. La violence a pour contrepartie l'enthousiasme, la barbarie a la foi et la simplicité. La cruauté n'a pas d'autre envers que la médiocrité, la tristesse, l'ennui.

Et ce qu'on appelle aujourd'hui érotisme me paraît aujourd'hui regrettable non parce qu'il éveillerait ou renforcerait l'instinct sexuel, mais parce qu'il le fausse, le détourne, et de pulsion instinctive le transforme en valeur sociale.

Car enfin, est-ce réellement pour plaire, au sens immédiat du mot, que la femme s'habille, se décolore, maigrit, et pense avec angoisse à sa ligne et à sa parure, à rester jeune et à avoir l'air gai ? On voit bien que non. Les femmes qui suscitent de grandes passions tout comme celles qui ont de nombreuses aventures, celles qui cherchent uniquement un mari, un amour ou des passades, ne répondent pas forcément, et même répondent rarement au stéréotype du magazine. Non, la femme qui se veut jeune à la façon d'une star, parée comme tel ou tel mannequin, mince ou l'œil en triangle comme le chroniqueur de mode le lui conseille, cherche à incarner une image plus qu'à plaire à un, à des hommes. Et, juste retour des choses, elles ne récolteront que des hommes qui aiment les images, et non les femmes.

L'homme qui sort avec un mannequin qui ne lui fait même pas envie montre qu'il peut plaire et exhiber une valeur officiellement reconnue. Ainsi dénoncer l' « érotisme ambiant » est donner dans le panneau d'une mystification sociale.

Mais le social ne saurait être exclu de l'érotisme et s'y glisse comme toute autre déformation, pour devenir un vice, donc une réalité. Le désir ne s'applique pas à la femme, mais à la valorisation qu'elle apporte. C'est tout de même un désir, qui finit par s'exprimer physiquement, communiquant à un érotisme devenu réel, mais fétichiste (on désire une femme « valorisée » par la mode, comme on désire une prostituée travestie en première communiante), une tristesse morbide, un désenchantement bien moderne.

Ainsi ce que je crains devant l'affiche, le magazine, le film, pour mes enfants, n'est pas que ce soi-disant érotisme éveille en eux des désirs précoces. C'est que, quand l'heure du désir et, je l'espère, de l'amour, sera venue, ils ne sachent pas le reconnaître.

Pudeur moderne

— Enfin, tu l'aimes?

Sylvie, jeune femme émancipée de vingt-huit ans, qui tente d'être journaliste et vénère tous les tabous de l'époque, répond en rougissant avec une pudeur victorienne :

— Mais non... C'est purement sexuel...

C'est le sexe qui est devenu l'excuse du sentiment et non le sentiment l'excuse du sexe. La pudeur est la même, et le gracieux mouvement de retrait de Sylvie, effarouchée « on ne parle pas de ces choses-là » en entendant ma question, ressemble à celui qu'aurait eu sa grand-mère, si on avait insinué que chez son polytechnicien de fiancé elle aimait autre chose que l'âme.

La fête du soutien-gorge

J'emmène Alberte au Bon Marché choisir son premier soutien-gorge. Un peu émue, digne néanmoins, Alberte essaye, choisit. Nous repartons.

Alberte, d'un ton détaché :

— Dis, maman, quand on achète comme ça, son premier soutien-gorge, est-ce que ce n'est pas l'habitude... enfin, est-ce qu'on ne donne pas une sorte de petite fête?

Une masseuse

— J'en ai vu des corps, soupire Mme Paule, une vieille masseuse toute ridée, toute recroquevillée, vieille fille s'il en fut. Eh bien, le croiriez-vous? Il y a des femmes de cinquante ans, avec des varices et des paquets de cellulite partout, et sous la main, ça vibre, ça vit. Et des fillettes, mannequins, modèles, j'ai l'impression de masser du coton.

Méditative et détachée :

— Ça doit être une chose curieuse, l'amour...

La vertu

J'ai parcouru une enquête dans un journal féminin; plusieurs messieurs connus étaient appelés à préciser ce qui, dans une femme, les attirait ou les rebutait. Quant à l'attirance, le choix était divers : beauté, douceur, intelligence même, se partageaient les suffrages de ces séducteurs. Mais quant aux répulsions, un mot revenait toujours : la vertu. Surtout, pas de vertu. Souhaitaient-ils des femmes ou des maîtresses hargneuses, avares, envieuses, ou même systématiquement infidèles? Je suppose que non. Je suis amenée à conclure, par voie de déduction, que pour l'homme moderne la vertu s'identifie à la mauvaise humeur et à la frigidité. Curieuse évolution.

Qu'est-ce qui nous reste, en somme, d'une civilisation chrétienne de tant de siècles? Le pire. Le culte du sacrifice sans joie, de la vertu sans but, le sens du péché sans le sens du pardon, un dolorisme qui paraît l'austère antithèse du plaisir, une horreur de la nature, de la vitalité, qui offense à chaque instant le dogme même de l'incarnation. Jésus nous conseille de vendre tous nos biens pour acquérir une perle d'un grand prix. Il nous dit d'amasser des biens que les voleurs ne dérobent pas, que la rouille n'attaque pas. Il ne nous dit pas de vendre nos biens pour ne rien trouver en leur place, de renoncer à tous les trésors, pour sombrer dans un dépouillement sans joie. A vrai dire nous ne posséderons la perle que comme l'on possède la beauté ou l'amour : par la seule contemplation. Mais les joies que l'on quitte pour une joie plus grande, est-ce un sacrifice?

Il semble que le sacrifice ne nous paraisse méritoire que s'il ne comporte aucune contrepartie, même d'ordre spirituel. La veuve qui ne s'est pas remariée « pour ses enfants » et qui ressemble à une plante sans eau, la vieille fille qui a toujours vécu « pour sa mère » et a renoncé à sa carrière ou à « fonder un foyer » sont deux exemples types que l'on cite toujours. Encore faut-il que ces renoncements soient bien desséchants, bien désespérants : sans quoi, l'on considère qu'ils n'ont pas de valeur. Jeanne, qui travaille dans une clinique et ne s'est, en effet, jamais mariée pour soigner sa mère infirme, Jeanne gaie, douce, lumineuse, est l'un de ces cas sur lesquels on s'attendrit. La voyant d'une telle douceur maternelle avec ses malades, je dis à Jean :

— Quel dommage que Jeanne ne se soit jamais mariée! Elle aurait fait une si bonne mère!

— Oui. Elle s'est sacrifiée pour... Mais notez que Mme X... est une vieille dame charmante. Elle est curieuse de tout, d'humeur égale, très cultivée. Et Jeanne a un métier qui l'intéresse. Non, elle n'est pas à plaindre.

Bien sûr, Jeanne qui huit heures par jour debout

à la clinique court, va, vient, de piqûre en friction et de toilette en tension à prendre, pour trouver encore le temps de faire ses courses, un peu de lessive, de soigner sa mère et de lui faire la conversation, n'est pas à plaindre. Il faudrait encore qu'elle eût une mère acariâtre et grincheuse — mais je crois que Jeanne s'en arrangerait — il faudrait qu'elle-même, amère, déçue, refoulée, souffrît à chaque instant d'un choix qu'elle-même a fait, pour vous satisfaire. Le poison janséniste nous a bien profondément infecté, pour que la vertu ne nous paraisse compatible qu'avec la morosité.

La joie de Jeanne existe, elle est sensible, comme aussi cette douleur au ventre qui la saisit devant les enfants des autres. La vertu aurait donc un ventre? Il faut croire.

Mais la méfiance devant la joie est telle, que même la souffrance ne la rachète pas. Un jour j'ai souri à une vieille dame, à l'église. C'était à Pâques : l'Alléluia de la Résurrection (cette Résurrection qu'on oublie trop au profit d'un dolorisme de la Passion qui n'existe que *pour* la joie de Pâques et que les orthodoxes chantent si bien) retentissait en moi. Je lui ai souri, simplement parce que c'était pour elle aussi, cet Alléluia n'est-ce pas? Elle a eu une sorte de haut-le-corps. C'est si déplacé, de sourire à l'église. Mais où alors? Où?

***

Je voudrais dire

Je voudrais dire le sourire rare de Dolores, qui éclôt une fois tous les trois ans, comme la fleur de certains cactus, mais alors, chez elle barbare et violente, si délicat, si nuancé, marqué, devant une gentillesse ou un compliment qu'on lui fait, d'une si exquise confusion de jeune fille, qu'il voile ce rude visage de Christ roman ou de grenadier de l'Empire d'une aurore, d'un nuage, d'une impalpable lumière : il n'y a pas de mots assez légers pour le dire. Il y faudrait des couleurs : rose thé, gris perle, beige soleil...

Je voudrais dire un inconnu conduisant son petit garçon minuscule à l'école, malheureux tous les deux, gauches.

Je voudrais dire M. Van Thong, marchand de cycles, ancien officier de l'armée vietnamienne, tranquille au milieu de ses bicyclettes luisantes, des motocyclettes rouges, des Solex bleus, merveilleux insectes bourdonnant dans les rêves des petits garçons, M. Van Thong soupirant brièvement : « On ne peut pas la supporter toujours, la guerre. »

Il vivait tranquille et ses enfants à demi français, bien nourris, si proprement tenus et les cheveux ras, allaient à l'école avec Daniel; et lui vendait ses cycles, un sage, avec pourtant un jour cette parole : « Quand je me promène dans ce quartier, le soir, avec mon chien, et que je vois les poubelles... Tout ce qu'on jette, ici... » Son regard voyait toujours la famine, la guerre. La fatigue de son regard, le silence de son regard qui ne se souciait plus de dignité. Je ne voudrais pas expliquer, démontrer. Je voudrais dire.

Je voudrais dire mon ancien voisin M. Massès, quatre-vingt-deux ans, ancien garde républicain, blessé d'un coup de sabre en 1904 au Maroc, et qui, toujours gai, toujours vif, toujours en bonne santé, emmenait mes enfants au quartier général des gardes républicains voir les chevaux et le manège. Je voudrais dire cette vie pleine de tintements, de petits éclairs de soleil sur les ferblanteries astiquées, d'odeurs saines de chevaux, de calembours et de beaux uniformes, d'admirable stupidité cordiale et tricolore, et que, lorsque M. Massès disait cette banalité, cette trivialité : « Quand ça ne va pas, on fait aller », elle sonnait clair comme un coup de clairon, dont elle avait l'attendrissante vaillance un peu ridicule. Je voudrais dire : ce n'est pas le courage, mais c'est l'enfance du courage.

Je voudrais dire, dans une réception froide et guindée, la surprise d'un grand chapeau vert et orange, l'irruption déplacée de la fête au milieu du rite social, mon élan vers cette dame qui me dit : « Je suis Mme A... » Qu'importe? Un instant elle est la dissonance, la faute de goût, la poésie. Je voudrais dire merci.

Je voudrais dire : je connais un homme qui s'appelle M. Roanne. Il a débuté comme danseur de claquettes. Il a épousé une écuyère. Il a amassé une petite fortune, et fait l'acquisition d'un château Louis XIII couleur de miel. Il y vit avec sa femme qui est douce, sa fille qui est belle, son fils qui est vaillant, et des lions, des tigres, des aras, des castors. Il entraîne de jeunes fauves et son fils s'exerce aussi au métier noble de dompteur. Couvert de glorieuses cicatrices, M. Roanne est poète. Il est chrétien. Il n'écrit pas de vers et pratique à sa façon : il loue la Création sous ses formes les plus naturelles et les plus saugrenues : les animaux. Il est prêt à admettre avec indulgence que l'homme, aussi, prend parfois de drôles de formes, et il ne le juge pas pour autant. Il ne se juge pas lui-même, M. Roanne : il est l'égal de tous.

Je voudrais dire le soir du dimanche, tant de dessins faits par les enfants et qui maintenant gisent à terre, chiffonnés, oubliés, tant de poèmes composés pour rire et déjà loin, jamais écrits, des heures belles comme des images d'Epinal, un passant entré qui ne reviendra jamais; je voudrais dire ce qui ne peut pas se dire, un vers d'une chanson qu'on entend partout avant de ne plus l'entendre nulle part, le geste d'infinie douceur d'un homme gris dans le métro pour protéger une vieille dame, et la portière qui claque déjà; je voudrais dire les silences de l'amour, les silences du malheur, les silences de la prière; tout ce qui est transitoire, tout ce qui est déjà fini, qui ne veut rien dire, qui ne sert à rien, et qui est déjà oublié, à moins que tout ne signifie, que tout ne serve, et que rien ne meure jamais.

Je voudrais dire tout ce qui est en papier.

*
* *

Sylvie, dix ans, à qui l'on offre l'un de ces livres « pour enfants » où tout, histoire et vocabulaire, semble calculé par un ordinateur, a cette réflexion, plus profonde qu'il n'y paraît :

— Je n'aime pas ces livres où il n'y a pas de mots qu'on ne comprend pas.

*
* *

Bibliothèque nationale

Vers 1300, des enfants décidèrent de partir se croiser. Les plus belles croisades étaient déjà finies. Les Chevaliers du Saint-Sépulcre, les rois de Jérusalem, reposaient les deux mains sur leur épée et leur lévrier à leurs pieds, traficotaient le souvenir historique et les épices, ou encore installés « là-bas » s'occupaient à se former un harem. Il n'y avait plus que des enfants pour partir, pour croire encore que « délivrer le Tombeau du Christ » c'était quelque chose qui en valût la peine... C'est une triste histoire sur laquelle on sait peu de chose. Quel innocent, quel prêtre de village, ignorant de toute politique et pour lequel Saladin, l'émir aux belles tentes et aux mœurs raffinées, était le diable, quel exalté ou quel niais encouragea ces bandes minables? Les villages étaient alors si clos, les volets mis, les portes verrouillées, la peur partout, des loups, des bandits ou du diable; est-ce l'envie de voir plus loin que le dernier champ de la paroisse, est-ce la faim, est-ce l'ennui? Après tout, l'enfant en savait plus long en ces temps-là sur la mort et la vie. La famine, l'épidémie, la guerre, c'était ses aïeux, penchant leurs faces rouges ou blêmes, leurs faces bonasses ou terribles, au-dessus de son berceau même, et le soir, à la veillée, c'était de ces grands-pères-là qu'on contait les méfaits grandioses (Pépé choléra!). Peut-être ils savaient, ces enfants-là qui avaient tous de petits frères, de petites sœurs au cimetière, combien pesait peu une vie de douze ans, de quinze ans? Alors, partir, c'était peut-être un défi?

Ou le soleil. Pourquoi pas? Le Christ de l'Ostensoir, avec ses rayons partout; il fait si froid, dans une vie close. Ou le désert, la mer, tout ce qui est illimité. Ou la mort même, mais du moins celle qui n'a pas de visage, celle qui ne se penche pas avec ses horribles rides d'habitude (encore un de moins! Ce que c'est que de nous!) au-dessus des draps souillés, qui attend assise au vieux jardin tranquille, déjà entourée d'une petite famille. Même les morts prisonniers d'un enclos! Non. Et peut-être, écolier ou paysans, l'un qui se dit : « Je m'en tirerai toujours » et l'autre qui va vers les Anges, et le troisième, comme dans les chansons, qui prend son sifflet, son couteau, ses tartines, sans penser à rien, ni devant ni derrière, et regrette seulement de n'avoir pas de souliers?

C'est une chanson triste, avec beaucoup de couplets. Certains sont oubliés, il en reste une phrase, trois mots... Le premier, celui qui chantait, a été mangé par les loups. Le second, celui qui priait, a été vendu comme esclave. Et le troisième qui suivait avec son couteau, son sifflet...

Et le troisième... Je ne sais pas. C'est une chanson perdue, que j'ai retrouvée à la Bibliothèque nationale, dans la poussière, un jour de cafard. C'est triste, ce tombeau des histoires et des chansons. J'y suis souvent, me disant que peut-être ce vieux monsieur au col plein de pellicules, cet imposant ecclésiastique, cette dame opulente et agitée, ont entendu une chanson semblable, à travers leurs paperasses, un jour... Nous avons tous un jour, une heure de sensibilité, de grâce, où une image nous atteint, ou une note, un mot, résonne en nous... Moi, ce sont ces enfants qui, un jour, ont décidé de partir, et, au tournant de la route, ont disparu.

Il y a un beau tableau de Breughel qui représente le massacre des Innocents. La neige y est peinte d'un pinceau de velours. Et le sang. Et les vêtements, les cuirasses, des paysans et des soldats qui s'y rencontrent dans une bagarre confuse. Mais l'objet de la lutte, ces petits corps misérables et nus, ces petits visages aveugles, on les voit à peine. Ils sont interchangeables. Ils n'ont pas de noms, comme les enfants de ma chanson, comme ceux de la complainte, qui étaient trois petits enfants, qui s'en allaient flâner aux champs. Et ils n'ont pas de pensées, ces *innocents,* dont le massacre inaugure dans le sang la naissance de Jésus-Christ. Agneaux de Dieu, eux aussi, agneaux aveugles, nouveau-nés; à eux l'innocence, la sainteté à celles qui les ont portés. Si elles ont su. Ont-elles su, ces mères, que leurs enfants mouraient pour quelqu'un d'autre? L'ont-elles, dans l'inspiration de la pensée ou dans l'obscurité de l'instinct, accepté?

J'entends. Ce n'est qu'une chanson, une légende, un tableau. Comme l'histoire des premiers-nés d'Egypte, ceux qui sont morts pour qu'Israël, sous la conduite de Moïse, puisse s'acheminer, délivré, vers Canaan. Les premiers-nés des hommes, innocents, et ceux des animaux, plus innocents encore. Si la légende le dit, ce n'est pas par hasard, c'est comme si elle voulait appuyer davantage encore sur cette innocence, cet aveuglement, cette incompréhension animale des sacrifiés. Et sacrifiés pour qui, pour quoi? Pour que des Juifs, d'obscurs esclaves, puissent aller dans le désert adorer des serpents de bronze ou des veaux d'or, à Canaan cultiver le nationalisme et fourbir, avec leurs prescriptions minutieuses, les cervelles qui enfantèrent et renièrent leur propre sauveur? Mourir pour que le salut s'accomplisse, c'est mourir aussi pour que le péché s'accomplisse. C'est là le mystère de l'innocence qui avec nous, ou en nous, *doit* mourir. « C'est commode, la foi », nous dit-on chaque jour.

Au café

Au café, il y a un apprenti de quinze ans, effaré, à la voix flûtée, qui se fait rabrouer par tout le monde.

— Mais non, ne porte pas les parasols à la terrasse! Tu ne vois pas qu'il va pleuvoir dans une heure, hé, simplet?

— Mais non, n'installe pas le snack avant onze heures, où tu veux qu'il se mette le client qui a envie d'un café?

— Comment, tu n'as pas encore installé le snack? Tu vois pas qu'il y en a qui s'incrustent (regard de mon côté) et que ça nous fait perdre des repas? Se tournant vers moi, pour excuser l'allusion :

— Ça n'a pas le sens des responsabilités, qu'est-ce que vous voulez! C'est jeune, c'est innocent... (au petit qui reste hébété) Profites-en, va! C'est bien toi le plus heureux...

*
* *

Au bord de la mer

Une dame qui déjeune raconte :

— J'étais à la plage, je faisais quelques brasses, je me retourne, et qu'est-ce que je vois? Une jeune femme, mais élégante, vous savez, pas du tout l'air de ça...

— L'air de quoi? interrompt le patron.

— Mais l'air de ce que je vais vous dire! Qui fouillait dans mon sac, mais tout tranquillement, comme une qui range ses affaires, et qui en sortait mon portefeuille! J'ai nagé, j'ai couru, je ne peux pas dire comme. Quand elle a vu que je ne lâcherais pas, au bout de la plage, elle a jeté le portefeuille par terre, sur le sable. Ah! Ça m'a fait un choc! Mais un choc! Je tremblais toute. Voir de mes yeux, *voir* quelqu'un qui fouille dans vos affaires à vous! Qu'est-ce que vous dites de cela?

Le patron, avec commisération :

— J'en dis que de la vie, vous n'avez pas encore dû en *voir* grand-chose!

Oui, l'innocence est volée, bafouée, persécutée. C'est à cela qu'elle sert. Le jour où elle s'en aperçoit, à y consentir elle gagne en mérite, non en efficacité.

*
**

Serge, huit ans, ami de Vincent et fils d'une de mes amies, élevé dans l'ignorance de toute religion, voit à mon cou une grande croix d'argent, où un Christ moderne est figuré par une simple silhouette très plate.

— Qu'est-ce que c'est, cet écrabouillé?

— C'est Jésus-Christ.

— Ah! oui... Qu'est-ce qui lui est arrivé, au juste?

— On l'a mis en croix.

— Et on a fait rouler une voiture dessus?

— Non, non, mis en croix seulement.

— Le pauvre! C'est égal, avec tous ces accidents, je me demande pourquoi on parle encore de celui-là.

Plus tard :

— Est-ce que tous les enfants qui font leur première communion on les met en croix plus tard?

Je dis :

— Mais non, voyons.

Je revois toujours ces bébés espagnols, Juan, qui dès le plus jeune âge a pu, a dû sentir cet inextricable mélange que la colère et l'amour forment dans le cœur de Dolores; Manolo qui d'être chez l'une, chez l'autre, abandonné des heures entières, avait pris l'habitude de dire « maman » à toutes les femmes; Sara qui à peine entrevue par sa mère était expédiée comme un colis le plus loin, le plus loin possible... Non pas massacre, mais mutilation des Innocents; la fête la plus mystérieuse peut-être du calendrier.

On dit : les Saints Innocents. Saints, ces aveugles et piaillants nouveau-nés, qu'on vit sur le tableau de Breughel, empoignés par le soldat ricanant qu'ils seraient peut-être devenus? Saints, ces petits corps tendres et inconscients qui n'avaient pas encore souri, ni parlé? En quoi le sont-ils plus que les malheureuses volailles quc je vois amener au marché, à la campagne, la tête en bas, les pattes cassées, les ailes ployées avec un inconscient sadisme, par une fermière qui tire orgueil de son absence de pitié. En quoi le sont-ils plus que ces fœtus avortés qui par centaines s'en vont dans les égouts des villes arrachés à des ventres trahis, à des corps apeurés, révoltés (Conchita nous informe, Lo et moi, après une de ces héroïques fausses couches dont elle tire gloire : « C'était un garçon. — Oh ! tais-toi ! — Quoi, dit-elle, un malheureux de moins ! »). Saints, le sont-ils plus que ces enfants des pays sous-développés, nés pour mourir de faim, la face creusée et le ventre ballonné? Ce sont les mères qui sont saintes, de mettre au monde leurs fils pour être crucifiés.

Je lus un jour, écrit par un religieux, une attaque contre la pilule, la stérilisation, dans les pays sous-développés, qui me parut la chose la plus cruelle que j'aie jamais lue. « Sans doute, disait ce *Père,* en substance, beaucoup de ces enfants sont appelés, par la maladie, la famine, le manque d'hygiène et de travail, à mourir prématurément. Mais au nom de ces statistiques purement matérielles, a-t-on le droit de priver ces mères de l'acte d'espérance que constituent ces enfantements répétés? »

Rien ne saurait être dit de plus dur, de plus scandaleux, de plus contraire même à la morale d'efficacité du monde où nous vivons. Lorsque je lus ces phrases, je ressentis ce choc aux entrailles, que ressentirait toute mère, même chrétienne, surtout chrétienne, lorsqu'on lui rappelle qu'en donnant la vie, elle donne aussi la mort. Le *Fiat* de la Vierge à la naissance du Christ est déjà un *Fiat* à sa Passion, à sa mort. A sa résurrection. Mais pour que cette finalité justifie la naissance, il lui faut déjà sortir du plan immédiat de la vie. Ce sont les mères qui sont saintes, ou aveugles, ou désespérées.

Je repensai à ce Père, que j'ai du mal à appeler ainsi — lorsque je perdis cet enfant que j'attendais, vers le quatrième mois. Vincent s'en désola.

— Pourquoi? disait-il toujours.

Mes filles, déjà sages, déjà femmes, s'étaient davantage réjouies, et s'attristèrent moins.

— Il ne faut pas être triste pour lui, il n'a rien su, disait Alberte, mélancolique et tendre.

Et Pauline, à la Jarry :

— Tu es encore jeune, va, tu en auras d'autres.

Mais Vincent dit toujours « pourquoi? » à la souffrance et au mal.

— Pourquoi il est mort, le petit bébé?

— Il n'est pas mort, il n'est pas né, voilà tout. Comme beaucoup de choses dans ce monde, tu sais. La nature gaspille beaucoup de graines d'essais, avant d'arriver à produire une plante, un animal, un être qui aille jusqu'au bout de son développement.

— Si je mourais maintenant, je n'aurais pas été au bout de mon développement?

— Je ne pense pas. Quoiqu'il y ait des êtres qui aboutissent très jeunes, je pense, à une sorte de perfection.

— Et alors, ils meurent?

— Pas forcément.

— Si je mourais maintenant, tu serais triste, parce que je ne serais pas arrivé au bout...

— Oui.

— Et si j'étais arrivé au bout, tu serais moins triste?

— D'une certaine façon.

— Et si je mourais sans être arrivé au bout, est-ce que tu préférerais que je n'aie jamais existé?

L'ennui, avec Vincent, c'est qu'il comprend trop vite. Droit au but, droit au cœur; il faut lui répondre, comme trop légèrement aux baptêmes « J'y renonce. J'y crois », il faut de toutes mes forces rassemblées et de toute ma foi lui répondre « Non ».

— Et tu ne préférerais pas ne pas avoir attendu le pauvre bébé...

— Non.

— Ma maman..., soupire-t-il, la tête sur mon sein, comme si je l'avais une seconde fois engendré. Moi je pense au Père X... et à ses actes d'espérance.

Je voudrais être sûre qu'avant d'écrire ces mots, qu'avant d'assener ces coups saintement atroces, il avait voué sa vie à lutter contre ces « statistiques purement matérielles », qu'il ne s'était, pour écrire ces lignes, interrompu qu'un instant dans une lutte incessante contre la famine, les épidémies, et le chômage. Alors, peut-être, cet instant serait acceptable, ces mots seraient acceptables. Peut-être.

La souffrance

J'ai attendu ce cinquième enfant. Je l'ai perdu, avant sa naissance. J'ai subi une opération : je n'aurai plus d'enfants. Un moment assez dur. J'avais beaucoup prié pour que cet enfant vive. J'avais prié avec une grande foi, une intensité profonde. Dieu *pouvait* faire que cet enfant vive. J'en étais sûre.

Et quand j'ai su que non, que c'était fini, plusieurs jours, peut-être des semaines : le cœur durci, fermé, incompréhensif. J'avais été si sûre. Non pas parce que j'avais conscience de mériter une grâce, un miracle. *Au contraire.* Justement parce que ma prière était une demande sans contrepartie; je n'apportais pas de mérites en échange, je ne faisais pas de promesses, de vœux surhumains, en somme, je donnais à Dieu l'occasion de manifester la gratuité totale de ses dons, que nul ne saurait mériter.

Je riais des pronostics pessimistes.

Je savais.

Après, plusieurs jours, plusieurs semaines, dans cette incompréhension stupide. Stupide au sens premier : frappée de stupeur. Puis, lentement, comme un végétal se développe, cette pensée : si Dieu *pouvait,* si je lui avais fait confiance, peut-être me faisait-il confiance aussi, peut-être « était-il écrit » que je *pouvais,* moi aussi, supporter cette souffrance, offrir cette souffrance, aussi imméritée que la joie l'eût été. Tout reprenait sa place dans l'univers mystérieux de la grâce.

Hors du mystère, tout est absurde.

Le pire, c'est ensuite. — C'est tellement mieux pour vous! Vous en avez déjà quatre! — Comme vous avez bien fait! (Je n'ai jamais pu, non pardonner, mais revoir une dame qui m'avait dit cela.) — Ainsi vous êtes plus tranquille. — Ça n'était pas bien raisonnable.

Comment peuvent-ils savoir « ce qui est mieux pour moi »? Décider de ce qui est « raisonnable »? Et les raisonnements qui me viennent. Juste comme on avait enfin un appartement convenable! Juste comme nos affaires s'arrangeaient! Juste comme j'allais toucher mes droits américains!

Mais tout a repris sa place. Ce n'est plus *que* du chagrin.

*
* *

Encore l'innocence

Chorale, « soirées poétiques », pièces écrites pour Noël : c'est ce qu'on appelle les plaisirs innocents. L'accordéon, le bœuf en daube, les plantes et les animaux; et les enfants, croit-on, les travaux d'érudition, les « soirées sous la lampe » qu'évoquent si bien les livres de prix, les livres rouges, Jules Verne ou la comtesse de Ségur, dont parlent avec tant de nostalgie les tourmentés, Baudelaire ou Verlaine (« Ah! que le monde est grand à la clarté des lampes ») nous avons tout cela. « Il n'y a pas de mal », comme disent les bonnes gens. Ah! justement. Est-ce qu'il n'y a pas de mal? Le cercle de famille, le cercle d'amitiés, se referme si vite. « Partout où deux d'entre vous serons réunis en mon nom... » il faut qu'il y ait place pour un troisième. Tenons-nous chaud, tenons-nous dans la joie, mais la porte ouverte. Le couvert du pauvre c'est cela. Peu importe qui vient s'y asseoir, ou ne pas s'y asseoir. La place est là, la plaie est là.

Les plaisirs innocents ne le sont qu'à demi. Il faudrait avoir les yeux bien fermés, les oreilles bien bouchées, pour ne pas savoir qu'ils ne sont que d'un instant. Non seulement la souffrance, le mal, l'incohérence, au-dehors dans la rue, dans le monde, mais en nous. L'harmonie, l'amitié, la grâce de ce lumineux instant, il faudra les attendre, on n'est jamais sûr qu'ils reviendront; le couvert du pauvre restera vide, si longtemps que nous oublierons peut-être qu'une présence, un jour, s'y est fait sentir. Le centre du cœur restera vide, pauvre, stérile, jusqu'à ce que revienne cette grâce sans raison, sans justification à laquelle notre attente, et non nos mérites, aura fait place. La joie sait cela. L'innocence ne le sait pas. L'innocence est intacte, portes closes, cœur pur mais fermé. La joie est blessée.

— Il y a une fille à mon école, dit Pauline, ravie de sa supériorité, qui dit que le bon Dieu il n'existe pas!

— Il y a beaucoup de gens qui pensent ça, tu sais.

— Oh! je sais (toujours radieuse). Ce sont des PAIENS.

— Il vaut quand même mieux ne pas lui dire, ce n'est pas poli.

— Mais c'est vrai!

— C'est vrai si tu appelles les choses par leur nom, mais ça ne suffit pas toujours. Peut-être au fond d'elle-même, cette petite fille aime Dieu sans lui donner un nom. Peut-être même y a-t-il des « païens » qui aiment Dieu, sans le nommer, plus que bien des croyants qui vont à la messe.

— Ah! bon. Pourquoi on les appelle « païens » alors?

— Pour s'y retrouver.

— Quand même, c'est mieux d'aller à la messe?

Je savais qu'elle dirait cela. Toute notre éducation est basée sur le mérite, sur le mieux, sur le moins bien, et qu'on ait remplacé récemment, à l'école de Pauline (à son grand dépit), les notes 10 ou 20 par des appréciations comme BON ou EXCELLENT n'y change rien. (Excellent, ça veut dire 9, explique-t-elle.) Qui nous sortira de la comptabilité des mérites?

— Ce n'est pas mieux. C'est plus simple. C'est plus vrai.

Et après cela, à quinze ans, elle refusera d'aller à la messe parce que c'est trop simple, et lira *le Bodhisattva* ou tout autre ouvrage hermétique et obscur? J'aime mieux cela que le ghetto; l'élite spirituelle me paraît plus odieuse encore que toute autre forme sociale qui se croit élite. L'élite des Parfaits qui se demande si on peut recevoir des divorcés, des juifs, des étrangers. L'élite des Purs (et le vocabulaire cathare vient tout naturellement sous la plume) qui a peur des mauvaises fréquentations, des mauvaises lectures, des microbes du monde et des impuretés de la création. Ils sont si fragiles et si durs, ces innocents! Les meilleurs, des œufs en porcelaine, des bibelots, de beaux cailloux. On les aime : on les contemple, et finalement, de les voir si intacts, on a pitié.

Mme Guyon [1] vécut dans l'innocence. C'était comme le disait si justement le Père Cognet, son biographe, « une riche nature ». Elle aima les enfants, les animaux, les humbles, elle méprisa l'argent, l'ambition, la prudence. Elle fut calomniée, emprisonnée, relâchée, sans fléchir. Elle fut à la mode et s'en réjouit, car elle voulait évangéliser les âmes, avec ardeur, avec passion. Elle fut réduite au silence et se tut sans amertume, car si Dieu la voulait inutile, elle acceptait l'inutilité. Elle donna sa vie, son œuvre, sa réputation même, comme on donne à qui le demande un hochet sans valeur. On ne peut la lire sérieusement sans l'aimer, et tantôt son œuvre la rapproche des spirituels hindous, tantôt de sainte Thérèse de Lisieux, d'une si profonde, si douloureuse théologie sous ces roses en papier dont on l'affuble.

Cependant Mme Guyon fut une sainte femme, et non une sainte. Tout est dans ces mots : elle vécut dans l'innocence. Tout, et un mystère redoutable.

Quand sa belle-mère, fort hargneuse mégère, lui demandait de prier pour une affaire d'argent, dont

1. Mystique du XVIIe siècle.

la réussite la préoccupait fort, Mme Guyon lui répondait *innocemment* : « Je ne sais pas prier pour ces affaires-là. » Innocemment, elle insultait au péché. Quand son mari, vieillard goutteux qui l'avait épousée, elle enfant de seize ans, elle belle, spirituelle et noble, l'empêchait de prier, parce que dans la prière elle le fuyait, elle pleurait, elle ne comprenait pas; *innocemment* elle insultait à ce sentiment corrompu, faussé, défiguré, que les hommes appellent amour. Et jusqu'au lit de mort de cet époux quinteux, avare, jaloux et qui pourtant aimait, elle s'étonna toujours des tourments qu'il lui infligeait, car, écrit-elle innocemment, « je crois qu'il m'aimait passionnément ».

Elle fut lue et suivie avec une pure joie, sans orgueil et sans modestie, la modestie encore étant un sentiment trop « particulier » pour qu'elle s'y attardât. Elle n'affectait ni le langage ni le vêtement d'une « dévote » : elle était tout jaillissement, toute spontanéité. On fit courir des bruits fâcheux sur ses mœurs, ses rapports avec Fénelon, et plus encore sur son intimité avec un religieux barnabite, le Père La Combe, esprit aussi exalté qu'elle mais plus faible. Après onze ans de prison, ce barnabite, sous des pressions qui voulaient par ce biais, compromettre Fénelon, avoua tout ce que l'on voulut : qu'il avait été l'amant, et « quinze nuits de suite » de Mme Guyon, qu'il était un parfait hérétique, et je ne sais quoi encore. On n'osa les confronter; peut-être un remords l'eût pris, en face de celle qu'il avait tant admirée. Mais on apporta triomphalement à Mme Guyon la lettre d'aveux que l'infortuné avait signée. « Le malheureux! dit-elle, sans se décontenancer nullement, il faut que ce soit un faux, ou qu'il soit devenu fou. » Peut-être faisait-elle preuve là d'un don de prophétie, car l'exalté devint fou en effet, et finit ses jours à Charenton. Mais cette invulnérabilité de l'innocence, cette assurance inentamée — Michelet affirme qu'elle rit, et si ce fait n'est pas historique, il correspond pourtant à la vérité psychologique, à cette ingénuité monstrueuse qui fait de Jeanne Guyon une héroïne plutôt qu'une sainte — effraie presque.

Si elle pouvait répondre d'elle-même, pouvait-elle répondre de lui? Si elle pouvait répondre de leurs gestes, de leurs paroles, pouvait-elle répondre de leurs pensées, des siennes à lui? Et à supposer même que par l'une de ses « communications intérieures » elle fût assurée de la pureté complète, intégrale, de l'âme du pauvre prêtre, pouvait-elle ignorer le fait que la crainte ou le désespoir avaient dû ravager cette âme pure, pour la résoudre à cette abdication? Non, je le crois, une sainte eût pleuré.

Mais elle était innocente, c'est-à-dire aveugle au mal. Il n'y a pas d'autre explication à ses folles imprudences, à sa hardiesse devant la calomnie; il y a de la provocation, du défi dans son cas. Le mal, elle veut l'ignorer, faire comme s'il n'existait pas. Mais le mal, c'est aussi l'homme...

Au cher Fénelon, qui l'eût comprise, elle ne confia pas son autobiographie. Mais à Bossuet qui ne voulait, qui ne pouvait la comprendre, elle abandonna ce texte plein d'élans généreux, de rêves, de prémonitions, d'imprudences, où l'âme se découvrait nue, avec ses délires et ses phantasmes, ses folles illuminations et ses intuitions les plus justes. Sublime folie. Elle savait qu'elle serait bafouée, moquée : elle cherchait peut-être ce suprême sacrifice. Elle le cherchait aux dépens de Bossuet. Qui accepte l'inévitable martyre est un saint; qui le cherche aux dépens du bourreau qui se damne, peut être un héros, mais pas plus. Devant les railleries grossières de Bossuet, une sainte eût pleuré pour lui.

Il faut que l'innocence pleure, qu'elle soit blessée, pour qu'elle devienne la pureté. Mais on ne se console pas de la perdre, on ne se lasse pas de l'admirer.

***

J'écrivis deux textes contradictoires. L'un s'intitulait : *On ne peut pas dormir*. L'autre : *On n'est fait que pour chanter*.

On ne peut pas dormir (extrait de mon journal)

Ce matin, je sens que je vais travailler. Travailler vraiment. J'ai réussi à sortir de chez moi, le cerveau à peu près frais, les nerfs à peu près intacts. Personne ne m'a agrippée pour me demander les cinq francs d'une cotisation, les vingt francs du déjeuner, Vincent n'a pas perdu son stylo, Pauline n'a pas égaré son short de gymnastique, et j'ai écarté plus aisément que d'habitude les souvenirs fâcheux : correspondance en retard, factures impayées, le dentiste, il faut accompagner Alberte au Conservatoire, demander un extrait de naissance de Vincent, et est-ce que je déjeune à la maison, et qu'est-ce que je préparerai pour dîner, et surtout, qu'il ne faut pas que j'oublie de rappeler ce magazine auquel, dans un moment d'aberration et de migraine, j'ai promis de donner un article sur Chopin ou sur l'Everest... Pour une fois, j'ai échappé. Le poulpe tapi dans un coin de l'appartement, avec ces tentacules innombrables, ces mille petits remords qui m'angoissent et me paralysent, est resté endormi, et me voici dehors, dans l'obscurité et le froid revigorant, et je bénis 7 heures du matin, mon heure préférée, mon heure à moi. Maintenant je fais provision de cigarettes, j'échange quelques mots (avec la louche allégresse du forçat évadé) avec la marchande de journaux, et j'entre la première dans le café que l'on balaye encore. Jets de sciure, divine odeur d'eau de Javel. Le matin.

Parfois c'est un vieil Arabe à béret basque, parfois un jeune Normand rougeaud, qui balaye, mais plus souvent une vieille femme sans couleur, de ces vieilles femmes qui arrivent avec un cabas plein de paquets bizarres, entourés de papier journal, qui portent des châles grisâtres ou beiges, des manteaux sans forme. Elles-mêmes n'ont pas de forme, toujours courbées, entourées de seaux d'eau sale, de serpillières molles, d'odeurs fades de détergent... Toute une humanité sans forme et sans couleur s'élève comme un brouillard de la terre, et n'est-ce pas à celle-là qu'il importerait avant tout de rendre sa dignité, ses contours, diluée qu'elle est dans un malheur tiède, étale?

Je rêve. Il y en a, de ces vieilles femmes, qui ne travaillent que par intermittence; elles portent une cuirasse de papier sous leur tricot à torsades, elles couchent parfois dehors et boivent de la bière glacée le matin. Et puis il y a les autres, celles qui conservent un touchant souci de respectabilité, parfois même une coquetterie minuscule : ce vieux chapeau qu'on leur a donné, auquel elles ont ajouté une coque en satin, qui traînait depuis des années au fond d'une boîte en carton. J'imagine; la patronne chez qui elles vont faire le ménage après les cafés ou les bureaux leur a donné le chapeau et elles se sont dit : pourquoi pas? en riant intérieurement, un peu confuses, avec le souvenir de cette jeune fille qu'elles ont été, presque jolie, qui se faisait des robes du dimanche... Et elles ont « fait un point » (l'acte d'espérance que représente, pour les femmes, ce petit geste : faire un point, raccourcir un ourlet, ajouter un petit nœud, un petit volant ridicule!) et elles ont ajouté la coque de satin, reliquat d'une robe usée, d'un vieux manteau, mais au moment de se regarder dans la glace... Vite elles ont enfoncé le chapeau sur leur tête, sur leur indéfrisable de l'an dernier, pris le cabas, l'écharpe marron, et en route. De toute façon, qui le verra, ce petit nœud? Elles déposent leur chapeau au vestiaire. Et puis, on ne voit jamais que leur dos.

Et leur sourire de grand-mère, quand enfin elles se relèvent, rejettent une mèche en arrière, poussent un gros soupir avant de s'en aller. Il fait encore noir. Mais j'ai déjà perdu du temps, avec mes vieilles femmes. Un gros soupir, la main qui passe machinalement sur les reins douloureux, elles s'en vont. Le sentiment obscur qu'on aurait pu se dire quelque chose, qu'il y avait peut-être quelque chose à dire, à faire, de plus que ce sourire impuissant, ouvre une première brèche dans mon allégresse du matin. Mais enfin je m'y mets. Le café amer, l'odeur de javel qui persiste. Je travaille.

Oui, 7 heures, 8 heures, ça va. Un garçon de café au cœur tendre a mis sur le juke-box une pancarte : en dérangement. Il ne l'enlèvera que vers dix heures trente. Après, c'est une question de chance : la foule, ou le désert. Des jeunes gens qui font tonitruer l'appareil, ou un seul clochard qui dort. Il y a beaucoup de dormeurs dans la clientèle des cafés. Le garçon vient se planter devant eux, hésite. C'est dur de déranger quelqu'un qui dort, quelqu'un qui ne sait où aller. Quand c'est un jeune homme, aux vêtements bariolés, on se dit qu'il va retrouver des amis, qu'il s'arrangera. Quand c'est un homme, vêtu avec cette correction râpée qui indique le bord de l'abîme, et qu'il repose un instant, le nez dans les petites annonces du *Figaro*, c'est plus difficile. Pendant que le garçon hésite, ma plume reste suspendue. Puis, avec une douceur qui fait mal : « Allons, il ne faut pas dormir!... » Les yeux qui s'ouvrent avec peine, le douloureux effort de reprendre conscience, le regard posé sur le petit verre de café qu'on ne renouvellera pas, qu'on ne peut pas renouveler...

J'hésite à dire : « Puis-je vous offrir un café? » et puis je n'ose pas. Dolores, elle, n'hésiterait pas, quitte à traîner dans la boue, de sa belle voix de métal, le malheureux s'il se permettait quelque parole déplacée. Je n'ose pas, mais le travail s'altère, perd sa belle intégrité, son vernis de porcelaine, devient douloureux, incertain, comme ce sommeil troublé du chômeur. « Je vous ai dit de ne pas dormir! » Un peu moins de douceur. Il faut le comprendre ce garçon. « Si je vous laisse dormir là, c'est moi qui me ferai ramasser. Ça déclasse l'établissement, vous comprenez? » Non, le dormeur aux yeux glauques ne comprend pas. Parfois il trouve à s'abriter derrière un journal abandonné, sauvé pour un quart d'heure, une demi-heure. Je respire. « Je vous ai dit de ne pas dormir! » Il s'en va, ce frère inconnu, titubant, et il me faut longtemps pour me remettre au travail, et la vieille angoisse de ces mots, qui pourraient ne rien vouloir dire, ne rien apporter, ni rien changer...

Jusque dans les églises, il se trouve le plus souvent un vieux sacristain bougon, méfiant et qui balaye, pour heurter les jambes du clochard affalé et lui dire : « Il ne faut pas dormir. »

Jusque dans la prière, cette angoisse me suit, et la prière s'altère, perd son jaillissement triomphant, devient incertaine, douloureuse. Jusque dans la joie, cette blessure, cette porte ouverte, cette voix : « Il ne faut pas dormir... »

On n'est fait que pour chanter

Il y a des années, l'idée m'était venue, pour célébrer Noël en famille, avec mes parents, mes beaux-parents et mes enfants, d'écrire une petite pièce, une toute petite pièce que nous jouerions ensemble. Ce serait en quelque sorte notre cadeau.

Parce que je ne sais pas si j'aime encore tellement les cadeaux. J'ai aimé, j'ai aimé beaucoup le Noël traditionnel et banal, ces orgies de cheveux d'anges et de néons, ces vitrines, ces catalogues en couleur, ces amoncellements de victuailles et de couleurs, le mauvais goût des carrefours décorés de sapins en plastique et d'étoiles au courant alternatif. Mais ça tourne court, le paquet, la ficelle, on a beau se donner de la peine pour les choisir, les noëlliser comme on dit, une fois offerts les paquets : « C'est tellement gentil ! C'est juste ce que je voulais », il est devenu rare que quelque chose se passe qui serait vraiment Noël, le don gratuit de Noël.

Il n'y a plus de fêtes, comme, disent les bonnes gens, il n'y a plus de saisons. La publicité se substitue à chaque instant à la chimie subtile du rêve qui devrait entourer la fête, le cadeau. Ce Père Noël pour adultes nous propose à chaque instant toute une gamme de présents, depuis l'illusion de devenir une femme fatale (grâce à la crème brunissante ou à un déodorant) jusqu'à celle de se trouver transporté en Floride ou sur l'Himalaya par le simple achat d'un bonnet de bain ou d'un imperméable. Ce tourbillon d'images et de promesses — et les « cadeaux gratuits » qui accompagnent le paquet de biscottes, ou la poudre à laver — faisant régner l'illusion d'une fête perpétuelle, travestissant la vie quotidienne « aux travaux ennuyeux et faciles » en décevante mascarade, fait s'enliser peu à peu toute vraie notion de fête. Il y en a trop, il n'y en a plus. Quand c'est un carnaval de Rio que nous présente, sur ses affiches et ses emballages, une simple poudre à laver, avec Chevalier blanc ou Fée Enzyme à l'appui, comment voulez-vous qu'acheter un disque ou une paire de gants pour Noël représente encore quelque chose.

Je cherchais. Cela m'attristait, cette envie, et puis cette retombée, de ceux qui n'ont ni besoin ni envie impérieuse de quelque chose, mais pourtant espèrent, et qui, le paquet ouvert, restent là, un peu déçus, un peu frustrés d'on ne sait quoi...

Notre petite pièce était une tentative résolument naïve d'offrir quelque chose qui ne décevrait pas, parce qu'elle disparaîtrait tout de suite. Ce serait, bien sûr, une petite pièce à sujet religieux. Nous espérâmes d'abord faire jouer à Pauline, qui venait de naître, le rôle de l'Enfant Jésus. Elle se montra si rebelle et poussa tant de cris que nous fûmes réduits, en dernier ressort, à habiller de feutre une bûche. Mais au fond, ce fut une réussite : les enfants s'intéressèrent plus à cette modeste création qu'aux jouets compliqués qu'en général ils détruisent en peu de semaines ou utilisent à des fins différentes de celles pour lesquelles ils ont été si pédagogiquement conçus. Le premier « mystère », nous lui donnions ce nom pompeux, fut joué devant les grands-parents, les parrains et marraines des enfants. Je m'étais réservé un rôle d'âne.

L'année suivante la question se posait déjà tout naturellement de ce que nous allions faire. J'aimai que pour mes enfants le verbe faire se fût substitué tout naturellement au verbe recevoir.

Le thème choisi cette année-là, saint Benoît et sainte Scolastique, me posa le problème des rimes en ique, plus nombreuses que l'on ne croirait. Puis le mystère s'allongea, pour fournir des rôles à mes quatre petites nièces, qui furent des Hébreux (pour un « Moïse ») des matelots (pour un « Jonas ») des arlequins, des crocodiles, les vaches grasses du Pharaon... Nos ambitions croissaient, nous ne reculions plus devant rien. Le passage de la mer Rouge, la baleine de Jonas, le harem de Salomon... Des amis se joignirent à nous. La nécessité se fit sentir d'une partie musicale. Les enfants voulaient chanter. J'appris la guitare d'accompagnement. Vincent, possesseur d'une boîte de magie, voulut exécuter quelques tours. Chacun des participants me signalait ses préférences pour un rôle dramatique, comique, somptueux. Le Mystère devenait une chose hybride, baroque, monstrueuse, dont j'écrivais chaque rôle en fonction de celui qui devait l'interpréter, utilisant ses aptitudes, ses rêves, ses petites manies. Ce n'était plus seulement un jeu pour les enfants, c'était un retour à l'enfance, à la gratuité, pour tous ceux qui y participaient.

C'était — c'est. Nous continuons. Nous prenons beaucoup de peine. Nous faisons des décors, des costumes, nous cherchons et nous préparons de la musique, nous travaillons notre texte... Et nous savons que tout cela disparaîtra en une heure, le 24 décembre après-midi, et à tout jamais. C'est à dessein que je ne dis pas : Jacques brosse les décors, Alberte recherche des chansons, j'écris... Cet après-midi de Noël, c'est vraiment « nous » qui le faisons.

L'année dernière une vieille amie, souffrante cependant, et préoccupée de tout autre chose, consentit, coiffée d'une mitre en papier, à interpréter, sans perdre un atome de sa dignité, le rôle du Pharaon. Accroupie « en lotus » sur un guéridon, un éventail à la main elle trônait. Je la regardais avec tendresse : sa gravité, ses efforts de mémoire. En dépit de mes vers naïfs et gauches, je sentais bien que c'était, ce rôle de Pharaon, un cadeau que nous nous faisions l'une à l'autre. Ces amis parlant soudain répétitions et costumes avec le visage sérieux de leurs dix ans, cette petite fièvre aux joues, dont nous nous moquons nous-mêmes sans conviction, on s'amuse, on s'amuse seulement, n'est-ce pas? Quelque chose se passait néanmoins, une simplicité, un don... Et que tous nos amis ne partagent pas notre foi, cela ne me paraissait, soudain, pas très important. Excès de confiance?

Cette année nous avons décidé d'agrémenter le mystère de chants choraux. Nous étudions avec beaucoup de sérieux les diverses voix de cantiques de Bach sous la direction de Jacques, qui ne nous passe rien. Les jours de fête et les dimanches, nous nous passons le mot « répétition de chant à cinq heures! » Nous nous groupons autour du piano, nous nous disputons. Qui détonne? « Je veux bien chanter les secondes voix pour rendre service, dit Alberte, mais ce n'est pas mon ton! » Pauline joue les vedettes et se retire dans un coin parce qu'on lui a dit que son do n'était pas un do. Puis ça s'envole, tout à coup. Vraiment, par moments, cela fait très bon effet. On dirait une vraie chorale. Quelqu'un dit d'un élan:

— Au fond, on n'est fait que pour chanter.

Est-ce Pauline?

C'est moi.

*
* *

Une conversation sur le bonheur

Moi. — Je ne peux pas finir mon livre, à cause de ces deux morceaux que j'ai mis à la fin, et qui ont l'air de se contredire.

Vincent. — Je ne trouve pas. Ça ne se contredit pas vraiment. On est fait pour chanter, pour être heureux, mais à cause des autres qui ne le sont pas, on ne peut pas l'être non plus. C'est simple.

Alberte. — On ne peut pas être heureux et on est fait pour? Ça ne paraît pas très juste.

Moi. — Peut-être que c'est le mot bonheur qui n'est pas très juste. Peut-être qu'il faudrait dire la joie plutôt, ou...

Pauline. — La gaieté! C'est bien la gaieté!

Moi. — Ce n'est pas la même chose!

Alberte. — Pourquoi pas? Moi j'ai vu le film sur Rubinstein, le pianiste, il disait qu'il était heureux, mais aussi gai, il faisait des grimaces tout le temps.

Moi. — J'y pensais justement, à ce film, parce que je ne l'ai pas vu, mais j'ai lu un long article où on le critiquait, où on disait que c'était un peu affecté, un peu limité, ce bonheur qu'il disait qu'il éprouvait... Est-ce que ça t'a choquée, dans le film?

Alberte. — J'étais contente pour lui. La musique c'est fait pour consoler les gens, de toute façon...

Moi. — Si on veut. Mais même si on se dit ça, c'est qu'ils sont tristes, les gens, puisqu'il faut les consoler. Et puis on risque de ne pas réussir.

Vincent. — Qu'est-ce que ça fait si on ne réussit pas? C'est la musique.

Moi. — C'est vrai dans un sens, c'est comme la foi, ou la beauté, ou l'amour, ça existe de toute façon, mais enfin, si tu as une grande foi, un grand amour, ou que tu vois quelque chose de très beau, si tu penses que d'autres ne comprennent pas, ne partagent pas, tu as quand même, à travers ta joie, une tristesse.

Alberte. — On pourrait avoir la foi ou faire de la musique dans une île déserte...

Pauline (jusque-là un peu dépassée). — Oui, et puis il y aurait un nègre, ou un Indien qui viendrait et on l'appellerait Vendredi et on lui apprendrait le solfège, un, deux trois! Même moi je sais assez de solfège pour l'apprendre à un petit nègre, on s'amuserait bien, et...

Moi. — Je crois qu'Alberte veut dire : une île tout à fait déserte. C'est une supposition, tu comprends.

Pauline. — J'aime pas les suppositions.

Vincent (supérieur, mais affable). — Parce que tu es trop petite. Elle veut dire : suppose que tu sois sur une île déserte et que tu fasses une très belle musique que personne n'entendrait...

Pauline. — Si j'étais sur une île déserte pour de vrai je ne ferais pas de musique, je pleurerais tout le temps jusqu'à ce qu'on vienne me chercher.

Alberte (agacée). — Tu aurais beau pleurer, comme il n'y aurait personne tu en aurais vite assez de faire la comédie!

Pauline (éclatant en sanglots). — Non j'en aurais pas assez! Non j'en aurais pas assez!

Alberte. — Si tu en aurais...

Vincent. — Qu'elles sont bêtes! Chaque fois qu'on va parler de quelque chose d'intéressant...

Moi. — Voyons Pauline! C'est simplement eux qui font une supposition, tu comprends, ce sont des idées, tandis que toi tu fais une histoire très jolie...

Pauline (qui ne veut pas renoncer à un désespoir spectaculaire, hurlant). — Je ne veux pas aller sur une île déserte sans ma maman!

Ceci se passe au cours d'une de nos « soirées poétiques », heureusement, ce qui me permet de calmer les esprits en procédant à une distribution de biscuits au chocolat.

Moi. — Enfin, si je comprends ce que vous voulez dire, c'est que le beau est beau et le vrai vrai, même si on est absolument seul à le reconnaître. On pourrait se contenter de le savoir. Mais est-ce que ce n'est pas alors proche de la vocation contemplative, comme dans les couvents où on se contente d'adorer Dieu, sans le faire connaître comme les missionnaires, ou sans faire du bien actif comme les Petites Sœurs des pauvres, et est-ce qu'on ne pourrait pas dire...

Pauline. — Ils veulent se garder le bon Dieu pour eux tout seuls, hein, dans les couvents?

Moi. — Voilà la question très bien posée. Je veux dire...

Pauline. — Je sais bien poser les questions, hein?

Moi. — Très bien. Je veux dire...

Pauline. — Je ne suis pas trop petite, hein?

Moi. — Pas du tout. Je...

Pauline. — C'est aussi une supposition, hein?

Moi. — Peut-être pas tout à fait, mais...

Pauline (prête à hurler). — Ce n'est pas une supposition?

Moi (précipitamment). — Si, si, c'est une supposition.

Pauline (triomphante). — Ah! Ah! Ah!

Moi. — On pourrait *supposer* en effet qu'ils veulent se garder le bon Dieu pour eux tout seuls, mais on peut dire aussi qu'ils veulent montrer qu'ils sont tellement sûrs que le bon Dieu, ou la musique, ou tout ce que vous voudrez, existent, que ça suffit pour remplir une vie, pour justifier une vie. C'est un peu ce qu'Alberte voulait dire avec l'île déserte.

Pauline (chantonnant entre haut et bas). — Moi aussi je fais des suppositions ah ah ah...

Vincent. — On pourrait dire que c'est un peu égoïste.

Moi. — Pas dans la mesure ou quand même les autres vous voient vivre et où ça constitue une espèce de démonstration...

Pauline. — Une supposition.

Vincent (ignorant l'interruption). — Oui, mais les autres peuvent se dire : eux ils sont bien contents et tranquilles dans leur couvent, et si moi je suis malheureux ils s'en f...

Moi. — Voilà. C'est comme pour Rubinstein. Est-ce qu'il a raison d'être heureux et gai et de le dire, ou est-ce que c'est égoïste? Est-ce qu'on peut avoir un bonheur ou une joie qui ne soient pas égoïstes?

Alberte (sans prévenir). —

La vie est un étrange et douloureux divorce
Il n'y a pas d'amour heureux.

Vincent. — Tu veux montrer ta culture?

Pauline. — Moi aussi je connais ça! Je l'ai entendu à la radio! C'est de Brassens! (Elle chante.) *La vie est un étrange...*

Alberte (digne). — C'est du poète Aragon. Brassens, c'est le chanteur seulement.

Pauline. — Moi j'aime mieux les chanteurs! C'est plus gai les chanteurs! (Elle chante, sur un rythme de jazz.) *Il n'y a pas...*

Alberte (indignée). — Ce n'est pas gai du tout! C'est très triste! (Avec sentiment.) *La vie est un étrange et douloureux divorce...* C'est *triste!*

Pauline. — Ça veut dire que si on est heureux et on s'aime après on divorce toujours?

Vincent. — Mais non! C'est une façon de dire, une image, tu comprends, un...

Pauline (illuminée). — Une supposition!

Vincent éclate de rire. Alberte est un peu froissée qu'on rie de son poète favori.

Moi. — Je crois que ça veut dire, justement, qu'on est toujours partagé entre ce besoin, cette vocation de joie, et ce sentiment du malheur des autres...

Vincent (savant). — Ecartelé, en quelque sorte. (A Pauline qui ouvre la bouche.) Ça veut dire tiré des deux côtés par des chevaux, c'est un supplice qu'on a fait dans le temps par exemple à Ravaillac et ce n'est pas une supposition.

Moi (reconnaissante). — Ecartelé. C'est le mot.

Je ne l'employais pas parce que j'avais peur que vous ne compreniez pas.

Alberte. — Que Pau-Pau ne comprenne pas.

Pauline. — Je comprends tout!

Vincent (perfide). — Surtout les...su...ppo...

Alberte (charitable, détournant l'orage). — Et tu vas arranger tout ça dans ton livre?

Moi. — Je voudrais bien, mais je ne l'ai pas encore arrangé en moi-même, tu sais.

Pauline. — Alors à quoi il servira, ton livre?

Moi. — On ne sait jamais très bien à quoi il va servir, un livre. Parfois j'ai voulu écrire un livre que moi, je trouvais très réconfortant, et les gens me disaient : Comme il est déprimant, votre livre.

Pauline. — Pour déprimer les gens ce n'est pas la peine d'écrire.

Vincent. — Moi je trouve que si. Ce n'est pas la peine d'écrire un livre si c'est pour écrire des mensonges.

Pauline. — C'est pas un mensonge d'être gai.

Moi. — Ce n'est pas un mensonge, mais ça n'est parfois qu'un aspect de la vie. Ce serait un mensonge aussi de ne pas parler de la joie, bien sûr.

Alberte. — En somme, tout est tout le temps mélangé?

Moi. — On pourrait dire ça.

Vincent. — Le bon grain et l'ivraie, hein?

Moi. — Si tu veux.

Pauline. — Tu ne devrais pas te tracasser pour ça, maman. Tu devrais écrire un roman policier qui finit bien, tout le monde serait content.

Alberte (culturellement révoltée). — Oh! non!

Vincent. — Si elle n'a pas envie!

Moi. — Si, j'aimerais bien. J'y ai pensé quelquefois. Je me disais que ça me reposerait. Je voulais mettre une femme détective, très sympathique, très gaie, avec des taches de rousseur, qui ferait toujours des gaffes et qui découvrirait la vérité par hasard. Elle aurait eu un chagrin d'amour, alors pour oublier elle aurait fait des enquêtes.

Pauline. — Elle aurait eu un chagrin d'amour et elle serait très gaie?

Moi. — Oui, parce qu'elle a une bonne nature. Son fiancé l'a lâchée pour sa meilleure amie alors elle fait une enquête pour savoir comment c'est arrivé et elle découvre qu'elle a des qualités de détective.

Alberte. — Alors, son fiancé revient?

Moi. — Non.

Alberte. — Pourquoi?

Moi. — Parce qu'alors elle serait heureuse et elle ne ferait plus d'enquêtes.

Pauline. — Et toi si tu étais heureuse tu ne ferais plus de livres?

Je reste interloquée.

Alberte (indignée). — Elle *est* heureuse!

Vincent. — Elle est à peu près heureuse, mais on ne peut pas l'être tout à fait, alors ce peu qui manque, ça lui fait faire des livres.

Moi (soulagée). — Lumineux. Mais je ne sais pas si c'est un « peu » qui manque ou un « peu » qui est en plus.

Vincent. — En plus du bonheur?

Moi. — Enfin, c'est l'idée que le bonheur ne suffit pas, si tu veux.

Pauline (qui trouve que ces spéculations ont assez duré). — Tu dis toujours « je ne sais pas si ». Tu ne sais rien, alors?

Alberte (riant). — C'est comme sa femme-détective. Puisqu'elle découvre la vérité par hasard.

Moi. — Elle la découvre quand même.

Vincent. — Mais elle n'a aucun mérite?

Moi. — Pourquoi est-ce qu'on aurait du mérite?

Vincent. — Et s'il n'en arrivait pas, de hasard?

Moi. — Il y en a toujours.

Pauline. — Qu'est-ce que c'est, le hasard? C'est les livres, le hasard?

Moi. — Voilà. Pour moi, c'est les livres, le hasard.

FD Achevé d'imprimer le 10 septembre 1970 par Firmin-Didot en son imprimerie du Mesnil. — 5702.
Imprimé en France. Dépôt légal : 3e trimestre 1970 : 3382 pour le compte des Éditions Grasset, 61, rue des Saints-Pères à Paris.